Edg

Les stars

Éditions du Seuil

ISBN 978-2-7578-5301-6
(ISBN 978-2-02-000609-5, 1re publication)

© Éditions du Seuil, 1972

« Le sauvage adore des idoles de bois et
de pierre; l'homme civilisé des idoles de
chair et de sang. »

Bernard Shaw.

Préface à la troisième édition

Le cinématographe fut conçu pour étudier le mouvement : il devint le plus grand spectacle du monde moderne. L'appareil de prise de vues semblait destiné à calquer le réel : il se mit à fabriquer des rêves. L'écran paraissait devoir présenter un miroir à l'être humain : il offrit au XXe siècle ses demi-dieux, les stars.

Ces demi-divinités, créatures de rêve issues du spectacle cinématographique, sont ici étudiées en tant que mythe moderne.

A ce titre, les stars constituent une matière exemplaire pour illustrer un problème qui n'a cessé de revenir dans mes recherches de sociologie contemporaine : celui de la mythologie, voire de la magie, dans nos sociétés dites rationnelles. Ce livre s'intéresse à ce qui était (et demeure) rejeté dans l'insignifiance ou la niaiserie par la sociologie officielle. Toutefois, et bien qu'à mes yeux aujourd'hui j'y trouve un peu trop de sarcasme[1], *les Stars* ne relèvent pas de la « démystification », où une vulgate prétendue marxiste vitriole des mythes vécus dans lesquels elle ne voit que tromperies subalternes destinées à « aliéner » les masses naïves.

---

1. Je répudierai aujourd'hui le ton d'ironie supérieure qui me vient parfois. Je suis de plus en plus persuadé qu'il ne faut jamais être insolent à l'égard d'un phénomène et que la critique doit d'abord s'exercer sur soi pour conserver quelque valeur hors de soi.

Ici, le phénomène a été pris au sérieux : les stars sont des
êtres qui participent à la fois à l'humain et au divin, analogues par certains traits aux héros de mythologies ou aux
dieux de l'Olympe, suscitant un culte, voire une sorte de
religion.

Bien entendu, il ne faut pas prendre le phénomène trop au
sérieux comme le font ces intellectuels qui croient que, dans
les salles de cinéma, nul autre qu'eux-mêmes n'est capable
de faire la différence entre le spectacle et la vie. Les spectateurs font la différence. Mais, en ce qui concerne les stars,
cette différence s'estompe : la mythologie des stars se situe
dans une zone mixte et confuse, entre croyance et divertissement. La religion des stars serait comme une religion
toujours embryonnaire et toujours inachevée. Disons autrement : le phénomène des stars est à la fois esthétique - magique - religieux, sans être jamais, sinon à l'extrême limite,
totalement l'un ou l'autre.

Comment situer et comprendre ce phénomène? On ne
peut le faire que de façon multidimensionnelle, c'est-à-dire
en le rattachant : 1. aux caractères filmiques de la présence
humaine sur l'écran et du problème de l'acteur, 2. à la relation spectateur-spectacle, c'est-à-dire aux processus psycho-
affectifs de projection-identification particulièrement vifs
dans les salles obscures, 3. à l'économie capitaliste et au
système de production cinématographique, 4. à l'évolution
socio-historique de la civilisation bourgeoise.

Un tel examen fait apparaître clairement que la mythologie des stars ne saurait être considérée comme un îlot d'i-
gnorance, d'infantilisme, de religiosité, au sein d'une civilisation moderne qui serait, elle, essentiellement rationnelle.
Bien au contraire, ce sont les développements mêmes de la
modernité, c'est-à-dire de la vie urbaine et bourgeoise, qui
ont suscité et développé les mythes des stars. Du reste, les

porteurs principaux de la mythologie des stars, les femmes et les jeunes, sont à la fois les éléments « barbares » les moins intégrés culturellement dans notre société, et les forces culturellement actives de la modernité. J'aborde dans ce livre le problème des femmes et des jeunes, que je retrouverai dans tous mes travaux ultérieurs de sociologie contemporaine, comme les forces les plus avancées et les plus arriérées de notre société : ce problème est lié aux phénomènes que j'ai formulés dans *la Rumeur d'Orléans*[1] comme étant ceux du *Moyen Âge moderne*.

Du même coup, un thème comme celui des stars me semble d'autant plus fascinant qu'en nous contraignant à lier l'archaïsme et la modernité au lieu de les disjoindre comme on le fait couramment, il nous amène à considérer de tels phénomènes non seulement sous l'angle contemporain mais aussi sous l'angle anthropologique : ce thème, efflorescence historique de l'économie capitaliste et d'une civilisation bourgeoise, répond à des aspirations anthropologiques profondes qui s'expriment sur le plan du mythe et de la religion. La star-déesse et la star-marchandise qui sont deux faces d'une même réalité nous renvoient, l'une à l'anthropologie fondamentale, l'autre à la sociologie du XXᵉ siècle. Ainsi ce thème me paraît-il plus que jamais stratégiquement riche.

Bien plus : à relire et à revoir ce livre, je m'aperçois qu'il était déjà, voici 15 ans, au cœur de ma problématique. J'essaie de situer les stars à la fois du point de vue d'une sociologie phénoménale moderne et du point de vue d'une anthropo-sociologie générative qui s'efforce de saisir les principes organisateurs fondamentaux à partir desquels les phénomènes s'actualisent et se développent historiquement.

Aussi ai-je retouché peu de chose. Mais il m'a fallu

1. Éditions du Seuil, 1969.

compléter. En effet, écrit à la suite du *Cinéma ou l'Homme imaginaire* [1], ce livre a été publié en 1957 alors que le cinéma déjà en crise s'efforçait de se sauver en relançant les stars. Quand paraît la deuxième édition, en 1962, le cours nouveau qui s'amorce reste encore imprécis. C'est dans la décennie 1960-1970 que s'opère le tournant capital qui ouvre un nouveau chapitre dans l'histoire des stars. Aussi, ce qui était écrit au présent doit être souvent lu au passé — et il nous a fallu conclure par un nouveau chapitre où le crépuscule du *star system* s'accompagne de la résurrection glorieuse des stars disparues. Aujourd'hui, bien que l'histoire des stars ne soit nullement terminée, nous pouvons embrasser un cycle complet : d'une naissance à un apogée, d'un apogée à une mort, d'une mort à une résurrection.

Janvier 1972

1. Éditions de Minuit, 1956.

Introduction

Sur une immense partie du globe, dans un immense secteur de la production cinématographique, les films gravitent autour d'un type solaire de vedettes justement nommé étoile ou *star*.

Les noms et les visages des stars mangent les placards publicitaires. C'est très lentement que le réalisateur commence à émerger de l'anonymat. On dit encore souvent « le film *de* Garbo, *de* Bardot, *de* Belmondo ». A juste titre, d'ailleurs : une star peut imposer des modifications de scénario et de dialogue aux auteurs du film. Ainsi Marcel Achard et Marc Allegret durent-ils se plier aux exigences de Charles Boyer pour un film qui devint finalement *Orages*. Une star peut même imposer un sujet ou un réalisateur au producteur, comme le fit Jean Gabin pour *la Bandera*, *Pépé le Moko*, *la Belle Équipe*, que Duvivier ou Carné n'auraient peut-être pas réussi à tourner sans son intervention. Vient même un moment où la star choisit ses partenaires, son scénariste, son réalisateur, et devient son propre producteur, comme Eddie Constantine et Alain Delon en France, John Wayne et Burt Lancaster aux États-Unis.

Certains réalisateurs ont été libres de choisir leurs stars, mais longtemps, à Hollywood, ils n'eurent pas la liberté de ne pas choisir de stars. La naissance d'une star est l'événement le plus faste que l'industrie cinématographique puisse connaître. En 1938-1939, Deanna Durbin sauva l'*Universal*

de la faillite. Menacé par la télévision après 1948, Hollywood
chercha et trouva pendant quelques années son salut non
seulement dans l'écran panoramique mais aussi dans le
lancement de super-stars comme Marilyn Monroe.

Aussi, dans la composition de cet alliage qu'est le film,
la star peut être la substance la plus précieuse, donc la plus
coûteuse. Des cachets fabuleux distinguent les stars des
autres acteurs. Les revenus des grandes stars d'Hollywood
ont dépassé ceux des plus importants producteurs. En France,
vers 1960, Gabin, Belmondo, Jeanne Moreau valaient de
20 à 40 millions d'anciens francs pour des films dont le devis
s'établissait entre 100 et 200 millions. Toujours en francs
anciens, au cours des années 1965-1970, Catherine Deneuve
a valu 130 millions pour *Tristana* (beaucoup plus que Buñuel,
le réalisateur), Brigitte Bardot a atteint 150 millions et Alain
Delon 200 millions, alors que le devis de bien des films s'éche-
lonne entre 100 et 200 millions.

Le rôle des stars a très largement débordé l'écran de cinéma. Elles parrainaient en 1937 90 % des grands program-
mes de radio américains, et il n'est pas, aujourd'hui, de
show télévisé qui n'accueille une *guess-star*. Des stars continuent à parrainer produits de toilette, fards, concours de
beauté, compétitions sportives, ventes d'écrivains, fêtes de
charité, éventuellement élections : aux États-Unis, des stars
sont intervenues activement dans les campagnes politiques.
Un producteur eut même l'idée de consoler la femme de
Sacco, au moment de l'exécution du martyr, par la présence
de Bette Davis (qui se refusa à cette exhibition). Répondant
à leur innombrable courrier ainsi qu'au courrier du cœur
de certains magazines, les stars ont joué un rôle tutélaire,
conseiller, consolateur.

Au temps où régnait le *star system*, c'est-à-dire jusqu'aux
années cinquante, cinq cents correspondants étaient fixés à
Hollywood pour alimenter le monde en informations, potins

et confidences concernant les stars. Margaret Throp, dans *America at the movies*, estime que 100 000 mots partaient quotidiennement d'Hollywood, troisième source d'informations des U.S.A. après Washington et New York. Aujourd'hui, les photos des stars apparaissent toujours en premier plan dans les journaux et magazines. Leur vie privée est publique, leur vie publique est publicitaire, leur vie d'écran est surréelle, leur vie réelle est mythique.

Jamais, au théâtre, un acteur n'avait été à ce point mis en vedette. Jamais une vedette n'avait pu jouer un rôle si important dans et par-delà le spectacle... C'est le cinéma qui a inventé et révélé la star. Mais ici apparaît un paradoxe premier. La star semble se tenir au centre solaire du cinéma. Pourtant le *star system* s'est greffé tardivement, après quinze ans d'évolution anonyme, au système de production des films. Ce phénomène original n'a rien d'originaire, ni apparemment rien de nécessaire. Rien dans la nature technique et esthétique du cinéma n'appelait immédiatement la star. Au contraire, le cinéma peut ignorer l'acteur, son jeu, sa présence même, le remplacer avantageusement par des amateurs, des enfants, des objets, des dessins animés. Et pourtant, capable de chasser l'acteur, le cinéma invente la star; il l'hypostasie alors qu'elle ne semble nullement participer à son essence. La star est typiquement cinématographique et n'a pourtant rien de spécifiquement cinématographique. C'est cette spécificité non spécifique qu'il nous faut, si possible, éclairer et d'abord décrire.

1

Le temps des stars

Genèse et
métamorphose des étoiles
(1910-1960)

Le cinématographe songea dès sa naissance à faire appel aux vedettes consacrées du théâtre. May Irvin et John Rice joignirent leurs lèvres dans le *Baiser* de Raff et Gammon. Sarah Bernhardt, les acteurs de la Comédie-Française, furent mis à contribution par le film d'art. Mais l'ère des vedettes de théâtre, dans des rôles de théâtre et des décors de théâtre fut éphémère.

La star s'élabore du côté des nouveaux héros de films, qu'interprètent d'anonymes et besogneux acteurs. Les personnages des bandes de série, Nick Carter, Fantomas, percent l'écran. Au nom de Nick Carter arrivèrent soudain, des quatre coins du monde, les premières lettres d'amour. Mais Nick Carter n'est pas une star : c'est un héros de film. On ignore le nom de son interprète Liebel.

Parallèlement, les héros comiques spontanément baptisés Max, puis Fatty, Picratt, etc. par le public, annoncent les stars. Déjà l'interprète, quoique encore anonyme, fait sentir ses exigences. Max Linder, engagé en 1905 par Pathé au cachet de 20 francs, obtient, en 1909, 150 000 francs par an.

L'étape décisive est proche où la personne de l'interprète jaillira du personnage, comme d'une chrysalide; il faudra aussi que le personnage se diversifie, que le héros unique des séries fasse place à de multiples héros, différents quoique semblables, selon les films. Alors le nom de l'interprète deviendra aussi fort et même plus fort que celui du personnage, et s'opérera enfin cette dialectique de l'acteur et du rôle où s'épanouira la star.

Les films, en effet, se métamorphosent sous la pression d'une force de plus en plus insistante : le rôle de l'amour s'élargit et s'épanouit dans le film. Le visage féminin monte au zénith de l'écran.

La star fermente sous l'héroïne et le héros. Zukor sent bien que le public veut des vedettes, et il se retourne vers Sarah Bernhardt, achète les « films d'art » français, fonde la « Famous Players » (1912-1913).

Les *Famous Players* ne seront pas les vieilles vedettes de la scène, mais de nouveaux et adorables visages. Carl Laemmle arrache Mary Pickford à la Biograph et lui offre un contrat de 195 dollars. Les producteurs, qui jusqu'alors préféraient implanter leur propre nom ou celui de leur firme dans l'esprit du public, lancent désormais les stars. L'ère de la « Star Film » est close. Les films des stars commencent.

Ces vedettes nouvelles jaillissent de leurs personnages d'héroïnes ou de héros. Déterminées par eux, elles les déterminent à leur tour : dès 1914, Tebo Mari refuse de porter la barbe pour jouer Attila et, pour les mêmes motifs pileux Alberto Capozzi rejette le rôle de saint Paul (Emilio Ghione, « le Cinéma italien », *Art cinématographique* VII, p. 46) : les premières stars sont nées.

De 1913-1914 à 1919 la star se cristallise simultanément aux États-Unis et en Europe. Mary Pickford, Little Mary, est la première et exemplaire star : son titre de *petite fiancée du monde* l'offre à la projection-identification du spectateur. En même temps apparaissent la diva italienne : Francesca Bertini, mélodramatique, possédée d'amour ; la vamp danoise qui, importée aux États-Unis avec Théda Bara, introduit le baiser sur la bouche — non pas le baiser de théâtre de Raff et Gammon — mais la longue union où la goule boit l'âme de son amant. Peu après 1918, Cecil B. de Mille lancera la belle fille piquante, excitante, qui imposera à Hollywood les canons de « beauté-jeunesse-sex-appeal ».

En même temps, s'imposent les premières stars masculines, non pas encore « idoles de l'amour », mais continuateurs des héros prestigieux des premières bandes, athlètes acrobatiques et batailleurs. Ils réussissent, à la force bondissante de leurs jarrets comme Douglas Fairbanks, à coups de valeureuses chevauchées comme Tom Mix, à faire triompher leur nom.

En 1919, les contenus, la réalisation et la publicité de films gravitent autour de la star. Le *star system* est d'ores et déjà au cœur de l'industrie cinématographique.

S'ouvre alors, de 1920 à 1931-1932, l'ère glorieuse. Quelques grands archétypes polarisent l'écran. La vierge innocente ou mutine, aux immenses yeux crédules, aux lèvres entrouvertes ou gentiment moqueuses (Mary Pickford, Lilian Gish aux États-Unis, Suzanne Grandais en France), la vamp, issue des mythologies nordiques, et la grande prostituée, issue des mythologies méditerranéennes, tantôt se distinguent, tantôt se confondent au sein du grand archétype de la femme fatale. Celui-ci s'universalise rapidement. Dès 1922, Shoharo Hanayagi introduit la vamp dans le cinéma japonais.

Entre la vierge et la femme fatale, s'épanouit la divine, aussi mystérieuse et souveraine que la femme fatale, aussi profondément pure et promise à la souffrance que la jeune vierge. La divine souffre et fait souffrir. Garbo incarne « la beauté de la souffrance », dit Balazs (*Theory of Film*, p. 288). « C'est la souffrance de la solitude... Son regard pensif vient de loin. » *(Ibid.)* Elle est perdue dans son rêve,

ailleurs, inaccessible. D'où son divin mystère. L'idole schizophrène s'oppose à la femme trop présente, l'amie, la
sœur, qui n'attire pas l'adoration, c'est-à-dire l'amour.
Elle transcende la femme fatale par sa pureté d'âme.

Les grands archétypes masculins s'épanouissent. Le héros
comique s'impose dans le long métrage. Autour des héros
de la justice, de l'aventure, du casse-cou, progénitures filmiques de Thésée, Hercule, Lancelot, se cristallisent les
grands genres épiques.

Au héros de l'aventure s'ajoute le héros de l'amour,
jeune premier fatal, aux traits féminisés, au regard de braise.
Entre ces deux archétypes, Rudolf Valentino opère une
sorte de synthèse parfaite. Cheik arabe, seigneur romain,
aviateur, dieu qui meurt, renaît et se métamorphose, comme
Osiris, Atys, Dionysos, héros d'exploits sans nombre, il
demeure avant tout « idole » de l'amour...

A leur apogée sur l'écran correspond l'apogée de la vie
mythique-réelle des stars d'Hollywood. Sublimes, excen-
triques, elles se font construire des châteaux simili-féodaux,
des résidences aux formes de temples antiques, avec piscines
de marbre, ménageries, chemins de fer privés. Elles vivent
très loin, très au-dessus des mortels. Elles brûlent leur vie
dans le caprice et dans le jeu. Elles s'entr'aiment, s'entre-
déchirent, et leurs amours confondues sont aussi fatales
dans la vie que dans le film. Elles ignorent le mariage, sauf
pour épouser des princes et aristocrates. Pola Negri accorde
successivement sa main au comte Eugène Domski, et au
prince Serge Mdivani. Une adoration exaltée les entoure.

La mort de Rudolf Valentino est le moment culminant
de la grande époque des stars. Deux femmes se suicident
devant la clinique où Valentino vient d'expirer. Ses funé-
railles se déroulent dans l'hystérie collective. Sa tombe ne
cessera d'être fleurie.

Garbo, présente-absente parmi nous, témoigne aujourd'hui de la grandeur passée de la star. Trop grande pour le cinéma devenu trop petit, c'est à peine si elle daigna tourner de loin en loin quelques films avant de s'enfermer dans le silence. Survivante du crépuscule des dieux, son mystère et sa solitude nous font mesurer l'évolution qui s'est accomplie. Comme en signe de deuil, comme aussi pour se garder de la corruption du monde et du temps, elle dissimule ses traits sous un chapeau sans grâce et d'épaisses lunettes noires. Et c'est son immortel visage que notre souvenir voit rayonner sous son voile.

A partir de 1930 environ, le cinéma qui se transforme va transformer les stars.

Les films deviennent plus complexes, plus « réalistes », plus « psychologiques », plus gais.

Les grands genres cinématographiques — fantastique, amour, aventure, policier, comique, etc. — avaient déjà, certes, commencé à s'enrichir par transfusions réciproques; certains thèmes, comme l'amour, s'étaient diffusés dans toutes les catégories de films; de plus, chaque genre tendait plus ou moins à intégrer comme thème mineur ce qui pouvait être la clé de voûte d'un autre genre. Autrement dit une évolution naturelle, progressive tendait à assembler au sein de chaque film ce qui au départ s'était épanoui dans les genres spécialisés.

Cette évolution est liée, nous le verrons, à l'évolution et l'élargissement du public cinématographique. Elle est stimulée par la recherche du profit maximum : la multiplication des thèmes (amour, aventures, comiques) au sein d'un même film s'efforce de répondre au plus grand nombre possible de demandes particulières, c'est-à-dire s'adresse

à un public potentiellement total. L'accroissement du prix
de revient du film, consécutif aux perfectionnements techniques et à l'intégration du système sonore, la réduction
de la fréquentation, consécutive à la grande crise de 1929,
exercent leurs stimulations à peu près synchrones dans le
sens de cette complexité thématique.

De plus, le cinéma parlant bouleverse l'équilibre du réel
et de l'irréel qui s'était établi dans le cinéma muet. La vérité
concrète des bruits, la précision et les nuances des paroles,
s'ils sont contrebalancés en partie, comme nous le signalerons
encore, par la magie des voix, des chants et de la musique,
déterminent un climat « réaliste ». D'où, du reste, le
mépris des cinéastes pour l'invention nouvelle qui, à leurs
yeux, désenchantait le film...

Par ailleurs Hollywood se place sous le signe de l'optimisme pour faire oublier les effets de « la grande dépression »
sur son public. Le *happy end* devient une exigence, un dogme.
La plupart des films se colorent d'aimable fantaisie. Un genre
nouveau, la comédie gaie, va triompher après *New York-
Miami* de Frank Capra. Les nouvelles structures optimistes
favorisent « l'évasion » du spectateur et dans ce sens, fuient
le réalisme. Mais dans un autre sens, les contenus mythiques
des films sont « profanisés », rejoignent le terre-à-terre.

Enfin, déjà sporadiquement sous l'influence de la crise
(*Notre pain quotidien* de King Vidor), puis sous la poussée
des grands courants progressistes du *New Deal*, les thèmes
sociaux irriguent le cinéma américain de leur sève réaliste
(*Fury, Mr Deeds, les Raisins de la colère*, etc.).

Toutes ces déterminations précipitent et orientent l'évolution du film, mais cette évolution elle-même est comman-
dée par un courant en profondeur, qui est l'embourgeoisement de l'imaginaire cinématographique.

Spectacle plébéien à l'origine, le cinéma s'était emparé
des thèmes du feuilleton populaire et du mélodrame où se

retrouvent à l'état presque fantastique les archétypes premiers de l'imaginaire : hasards providentiels, magie du double (sosies, jumeaux), aventures extraordinaires, conflits œdipiens avec parâtre, marâtre, orphelins, secret de la naissance, innocence persécutée, mort-sacrifice du héros. Le réalisme, le psychologisme, le *happy end*, l'humour révèlent précisément la transformation bourgeoise de cet imaginaire.

Les projections-identifications qui caractérisent la personnalité au stade bourgeois, tendent à approcher l'imaginaire et le réel et cherchent à les nourrir l'un de l'autre.

L'imaginaire bourgeois se rapproche du réel en multipliant les signes de vraisemblance et de crédibilité. Il atténue ou sape les structures mélodramatiques pour les remplacer par des intrigues qui s'efforcent d'être plausibles. D'où ce qu'on appelle « réalisme ». Les ressorts du réalisme sont de moins en moins les hasards, la « possession » du héros par une force occulte, et de plus en plus les motivations « psychologiques ».

Le même mouvement qui rapproche l'imaginaire du réel rapproche le réel de l'imaginaire. Autrement dit, la vie de l'âme s'élargit, s'enrichit, voire s'hypertrophie au sein de l'individualité bourgeoise. L'âme est précisément ce lieu de symbiose où réel et imaginaire se confondent et se nourrissent l'un et l'autre; l'amour, phénomène d'âme qui mêle le plus intimement nos projections-identifications imaginaires et notre vie réelle, prend une importance accrue.

C'est dans ce cadre que se développe le romanesque bourgeois. L'imaginaire est concerné beaucoup plus directement par le réel, et le réel est concerné beaucoup plus intimement par l'imaginaire. Le lien affectif entre spectateur et héros devient si personnel, au sens le plus égoïste du terme, que le spectateur craint désormais ce qu'il exigeait auparavant : la mort du héros. Le *happy end* se substitue à la fin tragique. La

mort et la fatalité reculent devant un providentiel optimisme.
Les lignes de force réalistes, psychologiques, optimistes,
etc. détermiment l'évolution du film d'une façon particulièrement nette à partir de 1930. Cela signifie que le film élargit
progressivement son public, d'abord populaire et enfantin,
à tous les âges et à toutes les couches de la société. Cela
signifie également qu'après 1930 s'accélère un mouvement
d'accession des masses populaires aux niveaux psychologiques de l'individualité bourgeoise.

La montée sociologique des classes populaires, phénomène clé du XXe siècle, doit être considérée comme un phénomène humain total. A travers la dialectique de la lutte
des classes et du développement technique, le même mouvement s'exprime dans le socialisme et le communisme sur
le plan politique et social. Sur le plan de la vie affective,
quotidienne, il se traduit par de nouvelles affirmations, de
nouvelles participations de l'individualité.

La vie affective est, avons-nous dit, à la fois imaginaire et
pratique. Les hommes et les femmes des couches sociales
montantes ne caressent plus seulement des rêves désincar-
nés. Ils tendent à vivre leurs rêves le plus intensément, le
plus précisément et le plus concrètement possible; ils les
assimilent même dans leur vie amoureuse. Ils accèdent à la
civilisation d'âme de la bourgeoisie, c'est-à-dire au bova-
rysme.

L'amélioration des conditions matérielles d'existence,
les conquêtes sociales, si restreintes soient-elles (congés payés,
réduction de la journée de travail), de nouveaux besoins et
de nouveaux loisirs, rendent de plus en plus exigeante une
revendication fondamentale : le désir de vivre sa vie, c'est-
à-dire de vivre ses rêves et de rêver sa vie.

Un mouvement naturel fait accéder les masses au niveau
affectif de la personnalité bourgeoise. Leurs besoins se mou-
lent dans les patrons-modèles régnants, qui sont ceux de la

culture bourgeoise. Ils sont excités et canalisés par les moyens de communication que détient la bourgeoisie. Ainsi l'embourgeoisement de l'imaginaire cinématographique correspond-il à un embourgeoisement de la psychologie populaire.

Les stars obéirent d'autant mieux à cette évolution que les besoins d'assimilation affective s'adressent au premier chef aux héros des films. Certes les héros demeurent héros, c'est-à-dire modèles et médiateurs. Mais, combinant de plus en plus intimement et diversement l'exceptionnel et l'ordinaire, l'idéal et le quotidien, ils offrent à l'identification des points d'appui de plus en plus réalistes.

En 1931, James Cagney lança un *grape-fruit* qui atteignait Mae Clark à l'œil. Ce geste et ce projectile sans noblesse devaient déclencher une multiplication de gestes roturiers, bientôt suivis de gestes risibles, mines ahuries, maladresses (comédies gaies). Le trivial et le comique sont désormais compatibles avec la star. Celle-ci n'est plus l'idole marmoréenne. Son visage même va répondre aux normes « réalistes » du maquillage (ces guillemets étaient nécessaires pour rappeler que le maquillage même « réaliste » transfigure la réalité du visage). Les fards spéciaux du muet « cachaient la physionomie sous des masques d'une beauté fantastique... Mais le réalisme du film moderne a changé tout cela. L'art de l'artiste maquilleur consiste aujourd'hui à éviter tout artifice » (Stephen Watts, *la Technique du film*, p. 83).

Poussé à la limite, le réalisme tend à éliminer purement et simplement la star (films néo-réalistes italiens). Mais cette limite est rarement atteinte, précisément parce que le film demeure dans les cadres de l'imaginaire bourgeois. L'exemple du *happy end* est significatif. Le spectateur qui préfère les avantages consolateurs du bonheur (prédominance de l'identification) aux avantages purificateurs de la mort du héros (prédominance de la projection) entretient par là même un mythe latent d'immortalité — le film se termine sur un baiser extatique — le temps est, dès lors, immobilisé, enfermé sous cellophane. Cet optimisme du _happy end_ dissimule en fait une angoisse de la mort plus grande qu'au stade de l'imaginaire plébéien (mort du héros). L'aggravation des angoisses de mort caractérise en effet la conscience bourgeoise; elle se traduit, dans le cadre du réalisme, par une fuite hors de la réalité. Mais cette immortalité artificielle, si elle entretient le prestige mythique de la star nouvelle, ne lui confère pas un privilège sur la star de la grande époque. Au contraire l'ancienne star ne craignait pas de se tremper dans la mort. L'immortalité est le signe d'une fragilité nouvelle de la star-déesse.

Les stars-déesses tendent donc à se « profaniser » d'une certaine manière, mais sans perdre leurs qualités mythiques élémentaires. De la même manière et pour les mêmes causes, les quelques grands archétypes font place à une multitude de héros-dieux de moyenne grandeur.

La beauté-jeunesse qui fixait l'âge idéal des stars féminines à 20-25 ans, celui des stars masculines à 25-30 ans devient plus élastique. Après 1930 surgissent les héros mûrissants du théâtre bourgeois en France (Victor Francen, Jean Murat), puis après 1940, à Hollywood, les Clark Gable, Gary Cooper, Humphrey Bogart, etc. commencent une nouvelle carrière d'homme-qui-a-beaucoup-vécu. L'héroïne max-factorisée pourra atteindre l'âge de 40 ans. A l'autre extrémité de l'échelle apparaîtront adolescents et adolescentes. Les stars couvrent désormais un champ de générations plus large. Elles couvrent également un éventail physiognomonique de plus en plus étendu : des beautés non idéales, des laideurs intéressantes imposent leur charme particulier.

Les anciens archétypes se dégradent et donnent naissance à de multiples sous-archétypes, plus fidèles aux types empiriques. Ils ne disparaissent pas totalement; sans cesse renaît dans le nouveau cadre « réaliste » la vierge innocente — la Michèle Morgan de *Gribouille*, l'Etchika Choureau des *Enfants de l'amour* — le héros justicier, l'Alan Ladd de *Shane* — le héros tragique qui meurt, le Jean Gabin de *Quai des Brumes*. Mais en même temps et progressivement, la vierge innocente, la petite fiancée mutine deviennent la « chic fille », la *féminine-masculine girl* à la fois *sweet-heart* et *buddy*, amoureuse et copine.

A cette décadence de la vierge correspond la décadence, beaucoup plus prononcée, de la vamp. La vamp, semi-fantastique dans sa frigidité destructrice, ne peut plus s'adapter sans ridicule au nouveau climat réaliste. Aussi devient-elle personnage secondaire et ridicule : son long fume-cigarettes, ses regards fatals sont devenus comiques. Les stars vamps changent de rôle; Marlène Dietrich s'humanise et met son érotisme au service d'un grand cœur.

En même temps, le pur justicier asexué du Far West s'érotise et consent à la faiblesse amoureuse. Il s'humanise à sa manière lui aussi. Le héros acrobatique devient sportif. Non plus archange terrasseur de démons mais bagarreur solide. Les bouillants Achille, les Thésée, les Hercule sont désormais de petits gars râblés (James Cagney, Alan Ladd) qui ne conservent que dans le maniement du pistolet leur ancienne et merveilleuse infaillibilité. Tous ont un cœur ouvert à l'amour. Réciproquement les jeunes premiers efféminés gagnent en sportivité, en gaieté. Le héros comique, infantile et asexué, peut de plus en plus prétendre à séduire l'héroïne. La virilité vient se greffer sur le benêt timide.

Ces morcellements et ces agrégats typologiques sont toutefois dominés par l'épanouissement, à partir de 1940, de deux archétypes synthétiques qui tendent à renouveler le lustre de la star.

L'ancienne vamp, en se désagrégeant, libérait une énergie érotique qui devait se diffuser sur tous les autres types de

stars. La chic fille délurée, chanteuse de cabaret ou danseuse de revues, s'annexait déjà une partie du sex-appeal
de la vamp. Parallèlement, l'ex-vamp devenait elle-même
chic fille sous ses dehors provocants. Mais une sorte de synthèse de la vamp, de l'amoureuse et de la vierge s'opère dans
le *glamour* pour donner la *good-bad-girl*. La *good-bad-girl*
est d'un sex-appeal égal à celui de la vamp dans la mesure
où elle se présente sous les apparences de la femme impure :
toilettes légères, attitudes hardies et lourdes de sous-entendus,
métier équivoque, fréquentations louches. Mais la fin du
film nous révélera qu'elle cachait toutes les vertus de la
vierge : âme pure, bonté native, cœur généreux.

De la même façon; le *good-bad-boy* effectue la synthèse
de l'ancienne brute bestiale et du bon justicier. William
Powel, Wallace Berry, Humphrey Bogart, ex-crapules,
deviennent héros virils, équivoques certes, mais profondément humains. Inversement des ex-jeunes premiers douceâ-
tres ou timides prennent de mauvaises manières. Clark
Gable devient le sarcastique Rhett Butler d'*Autant en emporte
le vent*, Gary Cooper, l'aventurier blasé du *Souffle sauvage*,
Robert Taylor, le farouche centurion romain de *la Tunique*;
mais ils conservent une âme exquise sous l'enveloppe cyni-
que et brutale.

C'est Humphrey Bogart qui, dans *le Faucon maltais*,
(1941) incarne la synthèse nouvelle que le film noir diffusera
sur tout l'écran américain. Le film noir supprime l'opposi-
tion de l'ex-gangster odieux et du bon policier-justicier au
profit d'un nouveau type trouble : le *private eye* des romans
du grand Dashiell Hammett, le hors-la-loi humain des
récits de R. Burnett ou Henderson Clarke... Mi-bons, mi-
méchants, ces *good-bad-boys* peuvent annuler le *happy end*
(réservé aux seuls vertueux) et ressusciter ici et là le héros
tragique des vieilles mythologies (le Jack Palance de *la Peur
au ventre*, le Jean Servais du *Rififi chez les hommes*).

La nouvelle synthèse du *bad* et du *good* suscite les nouvelles grandes idoles de l'éran. Elle ranime la divinisation de la star tout en s'inscrivant dans le grand courant de profanisation. Au cours de la rencontre chimique du *good* et du *bad*, en même temps que se cristallise le complexe nouveau du *good-bad*, se libère une immense énergie érotique qui se répand sur tout l'écran.

L'érotisme, c'est l'attrait sexuel qui se répand sur toutes les parties du corps humain, se fixe notamment sur les visages, les vêtements, etc. c'est aussi l'imaginaire « mystique » qui se répand sur tout le domaine de la sexualité. Les nouvelles stars sont toutes érotisées, alors qu'autrefois la vierge et le justicier étaient d'une pureté mariale ou lohengrinienne, que la vamp ou le méchant fixaient sur eux l'appel bestial ou destructeur de la sexualité.

L'évolution est donc générale : érotisation plus grande, humanisation « réaliste », multiplication et nouvelles combinaisons typologiques des stars. Il faut toutefois noter une remarquable onde de retour provoquée par le film sonore. Celui-ci, du même mouvement qui détermine un réalisme nouveau, suscite une magie nouvelle : celle du chant. Aussi voyons-nous des stars vocales comme Bing Crosby et Luis Mariano apparaître et s'élever aux sommets du *box-office*. Leur voix sirupeuse est comme l'équivalent de la douceâtre beauté des jeunes premiers d'amour du muet. Héros des films musicaux ou opérettes, ces chanteurs de charme suscitent une idolâtre pré-pubère et féminine qui rappelle les grands cultes du muet.

Cette exception notable signalée, le *star system* semblait fixé dans ses nouveaux cadres au lendemain de la guerre 1940-1945, et peut-être même, dans un sens, donnait des signes très légers d'essoufflement. La royauté de la star semblait se muer en monarchie constitutionnelle : la qualité des films, le nom des réalisateurs prenaient une importance

progressive aux yeux d'un public accru : quelques films se
passaient victorieusement de vedettes. Mais l'intégrité du
star system n'était pas en cause.

C'est dans ces conditions qu'éclata en 1947 une grave
crise de fréquentation qui affecte les États-Unis, l'Angleterre,
la France, le Bénélux.

Quoiqu'elle ne l'ait nullement provoquée, la concurrence
de la télévision a aggravé cette crise, et c'est d'abord en lut-
tant contre la télévision que le cinéma a cherché le moyen de
la surmonter. Il élargit son écran, y implante définitivement
la couleur.

Mais le cinéma cherche et trouve aussi le salut dans l'exotisme et l'histoire. L'antiquité romaine, les chevaliers de la
Table ronde, etc., apportent leurs prestiges mythiques, mais
au sein de la crédibilité : l'histoire et la géographie sont deux
tests de vérité en même temps que deux sources de merveilleux. Ce n'est pas dans le fantastique que le cinéma s'évade,
mais dans le temps et l'espace en technicolor et cinémascope.

En même temps que l'exotisme et l'histoire, une relance
de l'aventure et de la violence pour le héros, une relance
de l'érotisme pour les héroïnes ont pour effet de redorer le
prestige des stars.

La relance érotique joue un rôle capital : la renaissance
mammaire marque la renaissance du *star system*. Le « bri-
gidisme » échancre les décolletés et découvre les charmes
stéréoscopiques de Gina, Sophia et Martine. Les films multiplient les strip-tease de stars, baignades, déshabillages,
rhabillages, etc. Une vague d'innocence perverse porte au
premier rang les gamines érotiques, Audrey Hepburn,
Leslie Caron, Françoise Arnoul, Marina Vlady, Brigitte
Bardot.

La gloire de Brigitte Bardot est d'autant plus prodigieuse
qu'elle précède presque la sortie de ses films. Présentée au
festival de Cannes en 1954, elle fut aussitôt happée par la

machine à starifier parce qu'elle présentait un dosage admirable d'extrême innocence et d'extrême érotisme : c'était en puissance, « la plus sexy des vedettes bébé, le plus bébé des vedettes sexy ».

En effet son visage de petite chatte est ouvert à la fois sur l'enfance et sur la félinité : sa chevelure longue et tombante par derrière, est le symbole même du déshabillé lascif, de la nudité offerte, mais une frange faussement désordonnée sur le front nous ramène à la petite collégienne. Son nez minuscule et mutin accentue à la fois la gaminerie et l'animalité ; la lèvre inférieure très charnue fait une moue de bébé mais aussi une invitation au baiser. Une petite fossette au menton complète dans le sens de la gaminerie charmante ce visage qu'on calomnie en disant qu'il n'a qu'une seule expression; il en a deux : l'érotisme et l'enfantillage.

Le cinéma s'en servit exactement comme il convenait : un petit personnage aux frontières de l'enfance, du viol, de la « nymphomanie », dont tous les rôles tournent nécessairement autour d'un strip-tease central. Dans *la Lumière d'en face*, c'est le bain nu dans la rivière. Dans *les Week-Ends de Néron* (où Brigitte Bardot est Poppée) « son bain de lait d'ânesse est un des clous du film ». Dans *En effeuillant la marguerite*, Agnès-B. B. participe à un concours de strip-tease. Dans *Et Dieu créa la femme*, les strip-tease atteignent leur paroxysme et de plus sont accompagnés du « mambo le plus sensuel de l'année ».

Hollywood va encore plus loin. Non seulement il lance de nouvelles stars au déhanchement canaille, aux poitrines agressives, mais recherche une nouvelle idole d'amour (Ava Gardner) au besoin par une injection de vampirisme. Marilyn Monroe, vamp humide de *Niagara*, nue sous sa robe rouge, sexe dévorant, visage massacrant, est comme le symbole de la nouvelle relance du *star system*.

Mais sa carrière post-niagarienne montre que la vamp

morte ne pouvait ressusciter : le vampirisme « monroeen »
devait nécessairement se dissoudre dans la *good-bad-girl*.
Aussi, dans *Rivière sans retour*, Marilyn Monroe se méta-
morphose-t-elle en chanteuse de cabaret au grand cœur :
dès les premières images nous la voyons, idole de luxure
chantant le dollar d'argent d'une voix d'amour, et mère
adoptive modèle d'un petit garçon sans famille. Marilyn
(que le lecteur pardonne cette familiarité à un auteur qui
vit les mythes qu'il analyse) achève de s'intégrer dans les
normes fondamentales de la star. D'un côté ses deux rôles
de comédie gaie *(Comment épouser un millionnaire* et *Sept
Ans de réflexion)*, en lui faisant incarner, ici une jeune
myope avide de se marier, là une petite poulette provinciale
cherchant fortune à New York, la font devenir une jeune
fille comme les autres, tout en demeurant Marilyn. D'un
autre côté, en lisant Dostoïevski et Shakespeare, en épou-
sant Arthur Miller, Marilyn gagne les galons suprêmes de
la spiritualité. Ainsi Marilyn Monroe, effectuant la synthèse
des qualités contraires de l'idole d'écran et de la jeune fille
à marier, de la créature d'amour et de la belle âme, effectue, avant la tragédie irrémédiable qui déjà la ronge et
ronge Hollywood, l'ultime et grandiose accomplissement
du *star system*.

En France, Brigitte Bardot accomplit parallèlement le
même cycle. Après *Et Dieu créa la femme*, elle commence
à la fois son accession à l'humanité quotidienne et son ascension vers la spiritualité (*la Vérité*, *Vie privée)*. La poupée
sensuelle s'intègre dans une femme totale et supérieure qui,
par là même, constitue l'image accomplie de la star
moderne.

Ainsi l'époque 1950-1960 voit, en même temps que le
déclin de la fréquentation cinématographique, l'ultime floraison du *star system*. Marilyn Monroe, Brigitte Bardot,
parties toutes nues, sont devenues femmes totales, multi-

dimensionnelles; déesses de l'écran et grandes filles toutes
simples, elles rayonnent de sexe et d'âme. Elles paraissent
épanouies, heureuses, triomphantes dans le vivre et dans
l'amour. Le mythe de la star de l'ère 1930-1960 resplendit
à travers elles. Mais, chose extraordinaire, ce sont elles-
mêmes qui, déjà, portent le mal secret qui disloquera le
mythe euphorique du *star system*.

Au cours de l'étape 1930-1960, ce n'est pas seulement
l'image d'écran de la star qui se trouve modifiée par rapport
à l'ère du muet, c'est aussi l'image de sa vie privée-publique.
La star est en effet devenue familière et familiale. Avant 1930,
elle ignorait le mariage bourgeois et ne se liait qu'à des
étoiles du même rang. Depuis, elle peut sans déchoir épouser des acteurs secondaires, des industriels, des médecins.
Elle n'habite plus le château simili-féodal ou le temple
pseudo-grec, mais l'appartement ou la villa, voire le ranch.
Elle exhibe en toute simplicité une vie d'intérieur bourgeois :
elle noue un coquet tablier autour de sa taille, prend la
poêle, fait frire les œufs au bacon. Avant 1930, la star ne
pouvait être enceinte. Après 1930, elle peut devenir mère,
et mère exemplaire.

Les stars participent dès lors à la vie quotidienne des
mortels. Ce ne sont plus des étoiles inaccessibles mais des
médiatrices entre le ciel de l'écran et la terre. Filles formi-
dables, femmes du tonnerre, elles attirent un culte où l'admiration prend le pas sur la vénération. Elles sont moins marmoréennes mais plus émouvantes, moins sublimes mais
d'autant plus chères.

Aussi l'évolution qui dégrade la divinité de la star stimule
et multiplie les points de contact entre stars et mortels.
Loin de détruire le culte, elle le favorise. Plus présente, plus
intime, la star est presque à la disposition de ses adorateurs :
d'où la floraison des clubs, magazines, photos, courriers
qui institutionnalisent la ferveur. Un réseau de canaux draine

désormais l'hommage collectif et renvoie aux fidèles les
mille fétiches qu'ils réclament.

Ainsi s'achève la deuxième phase (1930-1960) d'une grande
évolution. Certes, cette évolution a été multiforme, complexe, et, de plus, diverse selon les pays. Il faudrait analyser
les stars allemandes, italiennes, françaises, anglaises, amé-
ricaines... Il faudrait également confronter l'évolution « occi-
dentale » et les évolutions orientales, japonaise, hindoue,
égyptienne. Bref, nous n'avons abordé que les préliminaires
d'une typologie génétique des stars.

Mais nous avons vu que, sur le plan des phénomènes
d'ensemble, l'histoire des stars recommençait à sa mesure
l'histoire des dieux. Avant les dieux, avant les stars, l'univers
mythique, l'écran, était peuplé de spectres ou fantômes
porteurs des prestiges du double.

Progressivement quelques-unes de ces présences prennent
corps et substance, sont magnifiées, s'épanouissent en dieux
et déesses. Et de même que certains grands dieux des pan-
théons antiques se métamorphosent en dieux-héros-de-salut,
de même les stars déesses s'humanisent, deviennent des
médiateurs nouveaux entre le monde fantastique des rêves
et la vie terre à terre.

L'évolution des dieux antiques correspond à une évolution sociologique profonde. L'individualité humaine s'affirme selon un mouvement dans lequel entre en jeu l'aspiration à vivre à l'image des dieux, à les égaler si possible.
Les rois furent les premiers à se situer à l'étage des dieux,
c'est-à-dire à se considérer comme des *hommes totaux*. Progressivement ce furent les citoyens, puis la plèbe, puis les
esclaves qui revendiquèrent cette individualité que les hommes ont d'abord accordée à leurs doubles, leurs dieux et
leurs rois. *Etre reconnu comme homme, c'est d'abord se voir
reconnaître le droit d'imiter les dieux.*

Les nouvelles stars « assimilables », stars modèles-de-vie,

correspondent à un appel de plus en plus profond des masses vers un salut individuel, et les exigences, à ce nouveau stade d'individualité, se concrétisent dans un nouveau système de rapports entre le réel et l'imaginaire. On comprendra maintenant tout le sens de la formule lucide de Margaret Thorp : « Le désir de ramener les stars sur la terre est un des courants essentiels de ce temps » *(America at the movies*, p. 54).

Dieux et déesses

La star n'est pas seulement une actrice. Ses personnages ne sont pas seulement des personnages. Les personnages de film contaminent les stars. Réciproquement la star elle-même contamine ses personnages.

« Les gens disent que je suis le même dans la vie que dans mes films et c'est pour cela qu'ils m'aiment », déclare Jean Gabin. Cette confusion peut aller loin. Une lettre d'Amérique fut adressée à Charles Boyer avec cette seule indication : *Mayerling, Hollywood, U.S.A.* Le *Gary Cooper's Fan's Club of San Antonio* entreprit de faire élire à la présidence des États-Unis en 1936 son héros qui avait révélé d'admirables aptitudes politiques dans *Mr Deeds.*

Les échos de *Cinémonde* sont révélateurs de la confusion du rôle et de l'acteur : « On mande d'Hollywood que Marlène Dietrich a reçu un coup de couteau entre les deux épaules, et que Gary Cooper a passé la nuit auprès de l'Ange bleu dans son ranch. » « Micheline Presle dans sa nuit de noces abandonne son mari pour le cocher de son voisin. » « Henri Vidal délaisse (provisoirement) Michèle Morgan pour Maria Mauban. »

La star détermine les multiples personnages des films ; elle s'incarne en eux et les transcende. Mais ceux-ci la transcendent à leur tour : leurs qualités exceptionnelles rejaillissent sur la star. Tous les héros que Gary Cooper enferme en lui le poussent à la présidence des États-Unis, et, réciproquement, Gary Cooper ennoblit et grandit ses héros, les *garycooperise*. Le joueur et le joué se déterminent mutuellement. La star est plus qu'un acteur incarnant des personnages, elle s'incarne en eux et ceux-ci s'incarnent en elle.

La star ne peut éclore là où fait défaut l'interpénétration *réciproque* entre acteurs et héros de films. Les acteurs de composition ne sont pas des stars : ils se prêtent aux personnages les plus hétérogènes, mais sans leur imposer une personnalité unificatrice.

Par ailleurs la dialectique d'interpénétration qui associe certains acteurs à leurs personnages n'aboutit à la star que s'il s'agit de personnages principaux ou de héros. Carette, Jean Tissier, Dalban, Georgette Anys, Pauline Carton, etc. (titi parisien, efféminé, inspecteur de police, matrone, vieille fille) n'arrivent qu'aux frontières de la *starité*, ils interprètent des types secondaires, pittoresques, et non des héros de films.

Ceci dit, tout héros n'est pas nécessairement incarné par une star. Il existe tout un secteur de production à bon marché, qui ne peut disposer de stars (série B, aux États-Unis). Les films de cette catégorie, notamment les *serials*, sont riches en héros prestigieux. Ces héros se situent parfois à un niveau mythique si élevé qu'ils absorbent sans réciprocité leurs interprètes. Ceux-ci s'usent et se remplacent sans dommage (Superman, Tarzan, Zorro). Rares sont les Johny Weismuller et les Lex Barker herculéens qui parviennent un moment à s'égaler à leurs personnages.

La star n'apparaît donc qu'au niveau du héros des grands films. Elle est absente là où manquent de puissants moyens économiques, là où il n'y a pas osmose mais absorption de l'acteur par le personnage, là où il n'y a pas affinité durable entre personnage et acteur (rôle de composition), là, enfin, où il n'y a osmose entre l'acteur et le personnage que sur le plan d'un rôle secondaire.

Les transferts de l'acteur au personnage, du personnage
à l'acteur ne signifient ni confusion totale, ni dualité véritable. Si Gary Cooper bénéficie de l'innocente sagacité de
Mr Deeds ou des vertus viriles du pionnier, il demeure Gary
Cooper. Si Gary Cooper reste Gary Cooper il imbibe de sa
personnalité Mr Deeds et le pionnier. Eddie Constantine
est et n'est pas Lemmy Caution. Lemmy Caution est et
n'est pas Eddie Constantine. L'acteur n'engloutit pas
son rôle. Le rôle n'engloutit pas l'acteur. Le film terminé,
l'acteur redevient acteur, le personnage reste personnage,
*mais, de leur mariage, est né un être mixte qui participe de
l'un et de l'autre, les enveloppe l'un et l'autre : la star.*

G. Gentilhomme donne une excellente première défini-
tion de la star *(Comment devenir vedette de cinéma)* : « Il y a
vedette lorsque l'interprète prime le personnage tout en
bénéficiant de celui-ci sur le plan mythique. » Complétons :
*et lorsque le personnage bénéficie de la star sur ce plan mythi-
que.*

La dialectique de l'acteur et du rôle ne peut rendre compte
de la star que si la notion de mythe intervient. Malraux,
le premier, l'a mise en pleine lumière : « Marlène Dietrich
n'est pas une actrice, comme Sarah Bernhardt; c'est un
mythe, comme Phryné. »

Précisons le sens du mot *mythe*, lui-même devenu mythique entre les mains des multiples commentateurs. Un mythe
est un ensemble de conduites et de situations imaginaires.
Ces conduites et ces situations peuvent avoir pour prota-
gonistes des personnages surhumains, héros ou dieux; on
dit alors le *mythe* d'Hercule, ou d'Apollon. Mais, très exactement, Hercule et Apollon sont l'un héros et l'autre dieu
de leurs mythes.

Les héros œuvrent à mi-chemin des dieux et des mortels ;
du même mouvement ils ambitionnent à la condition des
dieux et ils aspirent à délivrer les mortels de leur misère

infinie. A l'avant-garde de l'homme, le héros est le mortel
en processus de divinisation. Apparentés aux dieux et aux
hommes, les héros des mythes sont très justement nommés
demi-dieux.

Les héros des films, héros de l'aventure, de l'action, de
la réussite, de la tragédie, de l'amour et même, nous le verrons, du comique, sont, d'une manière évidemment atténuée,
héros au sens divinisateur des mythologies. La star est l'acteur ou l'actrice qui pompe une partie de la substance héroïque, c'est-à-dire divinisée et mythique, des héros de films,
et qui, réciproquement, enrichit cette substance par un apport
qui lui est propre. Quand on parle du mythe de la star, il
s'agit donc en premier lieu du processus de divinisation que
subit l'acteur de cinéma et qui fait de lui l'idole des foules.

Les processus de divinisation ne sont pas uniformes : il
n'y a pas un, mais plusieurs types de stars, depuis les stars
féminines « d'amour » (de Mary Pickford à Marilyn Monroe) jusqu'aux stars comiques (de Charlot à Fernandel) en
passant par les stars de l'héroïsme et de l'aventure virile
(de Douglas Fairbanks à Humphrey Bogart). Il convient
d'examiner les structures les plus frappantes de la divinisation, et c'est avant tout sur le plan de la star féminine, l'héroïne d'amour, que nous saisissons le mieux l'originalité
— la spécificité — de l'univers des stars.

L'amour est en soi un mythe divinisateur : aimer d'amour,
c'est idéaliser et adorer. Dans ce sens tout amour est une
fermentation mythique. Les héros des films assument et
magnifient le mythe de l'amour. Ils l'épurent des scories
de la vie quotidienne et le portent à l'épanouissement. Amoureux et amoureuses règnent sur les écrans, fixent sur eux la
magie de l'amour, investissent leurs interprètes de vertus
divinisatrices; ils sont faits pour aimer et être aimés, et
happent vers eux cet immense élan affectif qui est la participation du spectateur au film. La star est avant tout une

actrice ou un acteur qui devient sujet du mythe de l'amour, et cela jusqu'à susciter un véritable culte.

L'actrice qui devient star bénéficie des puissances divinisatrices de l'amour; mais elle apporte aussi un capital : un corps et un visage *adorables*.

La star n'est pas seulement idéalisée par son rôle : elle est déjà, du moins en puissance, idéalement belle. Elle n'est pas seulement magnifiée par son personnage, elle le magnifie. Les deux supports mythiques, le héros imaginaire et la beauté de l'actrice, s'interpénètrent et se conjuguent.

En effet, la beauté est très souvent un caractère, non pas secondaire, mais essentiel de la star. Le théâtre n'exige pas de ses acteurs qu'ils soient beaux. Le *star system* veut des beautés. Un certain nombre de stars sont des « Miss » locales, nationales ou internationales : Vivianne Romance (Miss Paris), Geneviève Guitry (Miss Cinémonde), Dora Doll, Anne Vernon, Sophie Desmarets, Barbara Laage, Myriam Bru (finalistes de Miss Cinémonde), etc. Le cinéma a du reste accaparé la plupart de ces compétitions esthétiques. Le titre de Miss Univers, décerné sous le patronage d'une grande firme d'Hollywood, organisé en France par *Cinémonde*, a valu à ses bénéficiaires un contrat de starlett. Toute belle fille peut faire du cinéma. On le lui dit, elle le croit (ce serait vrai s'il n'y avait pas tant de belles filles). La pin-up, c'est-à-dire la belle fille photographiée est une starlett en puissance, elle-même star en puissance. La beauté est une des sources de la « startité ». Le *star system* ne se contente pas de prospecter les beautés naturelles. Il a suscité ou renouvelé un art du maquillage, du costume, de l'allure, des manières, de la photographie et au besoin de la chirurgie, qui perfectionne, entretient ou même fabrique la beauté.

Le maquillage de cinéma est à ce point associé à la star de cinéma que toute l'industrie du fard moderne est née

de Max Factor et Elisabeth Arden, maquilleurs des vedettes
d'Hollywood.

Héritier des masques et des fards de poupée de l'Antiquité grecque et des civilisations orientales, le maquillage
de théâtre n'a cherché qu'accessoirement à embellir les
visages. Le cinéma, en revanche, n'utilise qu'accessoirement les fards et les grimages dans leur fonction proprement théâtrale. Le masque, carapace extérieure au visage,
et le maquillage qui modèle le visage sur lequel il se modèle
pour constituer un masque adhérent, avaient pour fonction
commune de permettre et d'afficher un phénomène de possession; lors des fêtes et des rites sacrés, le masque révèle
un esprit, un génie ou un dieu qui s'incarne. Le maquillage
de théâtre perpétue cette fonction : il différencie l'acteur
sur scène de l'humanité profane (laquelle d'ailleurs se pare
pour assister à cette cérémonie), il l'investit d'une personnalité hiératique et sacrée : il indique que l'acteur est habité
par son personnage.

En même temps, la fonction du maquillage est expressive : le grimage comme le masque hilare ou grimaçant du
théâtre grec fixe l'expression; le fard révèle sur un fond de
teint de poupée les mouvements de la bouche et des yeux
que le cerne élargit.

Notons que le théâtre contemporain a atténué le maquillage. Les courants naturalistes et réalistes, le perfectionne-
ment de l'éclairage de scène, l'exiguïté de certaines salles
et l'influence enfin du cinéma lui-même ont concouru à
effacer le fard hiératique et fatal (conservé dans la danse).

Au cinéma, les besoins de l'image (notamment au temps
où l'éclairage au charbon émettait d'enlaidissantes lueurs
violettes) appellent certes un maquillage, mais ces exigences
techniques n'ont rien d'impératif : des visages sans fard
ont illuminé des films de Flaherty, Dreyer, Renoir, Rossellini, Visconti. Il s'agit avant tout d'un besoin esthétique

qui prend toutes ses significations dès qu'il s'applique aux
stars. Le maquillage des stars est essentiellement un maquillage de beauté.

Le cinéma, dès qu'il s'engage, selon le mot de Méliès,
dans la « voie théâtrale spectaculaire », emprunte du même
coup son maquillage au théâtre. Mais progressivement
l'homme cesse de paraître maquillé dans les films ; la femme,
toujours maquillée, ne le semble guère plus que dans les
festivités de la vie. Certes le grimage est toujours utilisé
à des fins expressives particulières : yeux cernés de l'amante
au petit matin, lèvres blêmes du héros sur son lit d'hôpital,
mais le maquillage perd sa fonction propre, qui est de mettre
en évidence les mouvements des yeux et de la bouche. Le
gros plan joue désormais ce rôle.

Le maquillage de cinéma, comme le maquillage de la
vie quotidienne, qu'il dépasse par son art mais à qui il propose cet art, restitue jeunesse et fraîcheur ; il répare le teint,
mastique les rides, corrige les imperfections, ordonne les
traits selon un canon de beauté qui peut être hellénique,
oriental, exotique, piquant, romantique, félin, ingénu,
etc.

L'inaltérable beauté des stars implique un maquillage
inaltérable : au cœur de la brousse, dans les décombres,
aux prises avec la soif ou la faim, de merveilleux visages
« maxfactorisés » témoignent de la présence de l'idéal au
sein du réel. Le cinéma rechigne toujours à nous révéler
un visage de star dans sa vérité nue.

Le maquillage dépersonnalise évidemment le visage. Les
films sans maquillage nous en fournissent la contre-épreuve.
C'est alors qu'aux dimensions du gros plan, le grain de la
peau, les ombres et les reliefs, les mille petites rides transforment les visages en paysages et nous initient à la plus
riche des géographies humaines. *Le Cuirassé Potemkine*,
d'Eisenstein, *Jeanne d'Arc*, de Dreyer, *Verdun, vision d'his-*

toire, de Poirier, doivent notamment à l'absence de fards leur puissance d'expression. L'expression de la beauté tend à annuler l'expression tout court.

Mais le maquillage, qui diminue « l'éloquence de la face », lui confère une nouvelle éloquence. Il dépersonnalise la star pour la sur-personnaliser. Son visage fardé est un type idéal. Cette idéalisation peut être douceâtre, émolliente, mais c'est l'affadissement même que la beauté fait subir à la vérité. Le fard accentue, stylise et accomplit définitivement la beauté sans failles, sans ombre, harmonieuse et pure.

Si besoin est, le chirurgien se charge d'helléniser le nez. La gloire stellaire nécessite parfois cette assomption nasale. Martine Carol, Juliette Gréco ont dû ainsi se défigurer pour ressembler à leur propre figure idéale. Par trois fois Silvana Pampanini dut faire retoucher son nez, d'abord un peu trop bourbonien, ensuite un peu trop mutin, jusqu'à ce qu'il atteignît les harmonies pythagoriciennes.

En fait, la beauté archétypique de la star retrouve le hiératisme sacré du masque; mais ce masque est devenu parfaitement adhérent, il s'est identifié au visage, confondu avec lui.

Le maquillage de cinéma n'oppose pas un visage sacré au visage profane de la vie quotidienne; il élève la beauté quotidienne au niveau d'une beauté supérieure, radieuse, inaltérable. La beauté naturelle de l'actrice et la beauté artificielle du maquillage se conjuguent en une synthèse unique. La beauté maquillée de la star impose une personnalité unificatrice à sa vie et ses rôles. C'est pourquoi « une vedette n'a pas le droit d'être malade, pas le droit d'avoir mauvaise mine » (Jean Marais, préface à *Comment devenir vedette de cinéma*). Elle doit, en permanence, être identique à elle-même dans sa perfection rayonnante.

Aux artifices du maquillage et de la chirurgie esthétique

s'ajoutent ceux de la photographie. La caméra doit toujours surveiller ses angles de prise de vue pour corriger la taille des stars trop petites, choisir le profil le plus séduisant, éliminer de son champ toute infraction à la beauté. Les projecteurs répartissent ombres et lumière sur les visages selon les mêmes exigences idéales. De nombreuses stars ont, comme leur maquilleur, leur opérateur préféré, expert à saisir leur plus parfaite image.

Le même souci commande la toilette des stars, toujours parfaite dans la coupe, les drapés, la façon. Leurs costumes tranchent sur ceux des acteurs secondaires et figurants, dont les vêtements symbolisent une condition sociale (épicier, professeur, garagiste, etc.) ou bien « sont conçus en tant que décors et non individuellement comme ceux des principaux personnages » (Bilinsky, « le Costume », dans *Art cinématographique*, p. 54). Les figurants habillent des costumes. La star est habillée. Son costume est une parure. Au cœur du Far-West, la star change de costume à chaque séquence. L'élégance prime la vraisemblance. L'esthétique prime le réalisme. Certes la star peut être modestement vêtue d'un imperméable (signe cinématographique de la solitude et du dénuement féminin), ou même porter des haillons. Mais imperméable et haillons sont du maître costumier. Les chandails loreniens (*la Fille du fleuve*), les élégantes guenilles brigidesques (*Pain, Amour...*) révèlent la suprême parure des stars : leur corps. Rien ne les habille mieux que le déshabillé.

L'exigence de beauté est en même temps une exigence de jeunesse. La jeunesse importe peu au théâtre ou à l'opéra, même pour l'interprétation des rôles d'adolescents. Roméo et Juliette enlacent leur ventripotence quinquagénaire dans les duos lyriques. Au cinéma, avant 1940, l'âge moyen des stars féminines était de 20-25 ans à Hollywood. Leur carrière était plus brève que celle des hommes, qui peuvent, non vieillir, mais mûrir pour atteindre l'âge séducteur idéal [1].

Depuis, les instituts de beauté se sont, de plus en plus efficacement, voués au rajeunissement : ils suppriment les rides, restituent au teint sa fraîcheur printanière. Désormais la jeunesse n'a plus d'âge. Cette jouvence maintient en activité les belles quadragénaires Joan Crawford, Marlène Dietrich, Edwige Feuillère, puis Ava Gardner, Liz Taylor ont relevé le défi du temps qui passe. Encore belles, elles sont toujours demeurées jeunes, toujours amoureuses. A plus de cinquante ans, Marlène exhibait son corps superbe au casino de Las Vegas. Un jour les rides et les bouffissures, sans cesse réduites par les instituts de beauté, seront ineffaçables. La star livrera son ultime combat, à la suite duquel elle devra se résoudre à cesser d'être amoureuse, c'est-à-dire d'être jeune, belle, c'est-à-dire d'être star. Ou bien elle s'éclipsera. Dans ce dernier cas, elle vieillira en silence, en cachette, mais son image restera encore jeune. Garbo dissimule ses traits, et, sous les lunettes noires, sous le col relevé, transparaît son visage éternel de divine.

La mythologie des stars d'amour associe la beauté morale à la beauté physique. Le corps idéal de la star révèle une âme idéale. A l'exception de la vamp que, du reste, le *star system* a éliminée de son sein, la star ne peut être immorale, perverse, bestiale [2]. Elle peut donner le change au début du film; mais la fin nous révèle sa belle âme.

La star est pure, même — et surtout — comme amoureuse : elle vit sincèrement ses passions et ne semble versatile que parce qu'elle quête le Graal de l'amour idéal. Elle

1. Gary Cooper, Clark Gable, Humphrey Bogart, qui avaient la soixantaine, sont morts en pleine jeunesse cinématographique. Ces rudes trappeurs de l'espace filmique étaient marqués par des rides, non de délabrement, mais de souci et d'expérience.
2. Margaret Thorp cite le désagréable effet de l'enivrement de Bing Crosby dans *Sing You Simners*, et d'Irène Dunne dans *Joy of Living* sur leurs adorateurs, (*op. cit.*, p. 648).

protège les enfants et respecte les vieillards. De vamp nia-
garesque, Marilyn Monroe est devenue star en dévoilant
le cœur maternel que cachait sa poitrine valeureuse (*Rivière
sans retour*).

La star est profondément bonne et cette bonté filmique
doit s'exprimer dans sa vie privée. Elle ne peut être pressée,
inattentive, distraite à l'égard de ses admirateurs. Elle doit
toujours les aider; elle le peut, car elle comprend tout. Elle
a l'autorité, du cœur et de l'esprit. Ses conseils intimes,
sentimentaux, moraux sont sans cesse sollicités.

L'idéalisation de la star implique bien entendu une spiri-
tualisation. Les photos nous montrent souvent la star occu-
pée à peindre sous l'inspiration du plus authentique talent,
ou bien accroupie devant sa bibliothèque, consultant un
bel ouvrage dont la reliure garantit la valeur spirituelle.
Ray Milland ne cache pas l'élévation de ses préoccupations :
« J'aime l'astronomie, j'aime méditer sur la nature et les
possibilités des planètes. Mon livre favori concerne la vie
végétale qu'on suppose dans la lune. Outre cela, je potasse
les vingt-quatre volumes de l'*Encyclopédie britannique*. »

Un journaliste a bien compris que Robert Montgomery
était un moderne Pic de La Mirandole : « Il est peu de
matières philosophiques, psychologiques, politiques ou
sociologiques que Bob Montgomery n'ait lues et étudiées.
Il peut... s'entendre avec les Hemingway, les Noël Coward,
toute la jeunesse brillante. Mais il peut aussi bien tenir sa
place parmi les savants, ingénieurs, médecins, professeurs
d'université. »

Dans la dialectique de l'acteur et du rôle, la star apporte
sa beauté au héros du film et lui emprunte les vertus morales.
Beauté et spiritualité se conjuguent pour constituer l'essence mythique de sa personnalité, ou plutôt de sa sur-
personnalité.

Cette sur-personnalité doit sans cesse se vérifier dans

et par les apparences : élégance, toilettes, propriétés, animaux, voyages, caprices, amours sublimes, luxe, richesse, dépense, grandeur, raffinement, le tout pimenté, selon un dosage variable, d'exquise simplicité et d'extravagance.

Les splendides résidences de Beverley Hills, les Trianons modernes, les gentilhommières de la banlieue parisienne authentifient la sur-personnalité des stars, de même que les toilettes éblouissantes, originales et piquantes.

Sur le plan vestimentaire, la star féminine se conforme à l'étiquette suprême, celle des princes. Mais aussi, comme les princes, elle est libre de porter une robe noire à la réception d'Élisabeth d'Angleterre. Star royale, Ava Gardner refuse de s'incliner et sourit à la reine, son égale. Les rois et les dieux veillent à l'ordre, mais peuvent se dispenser d'y obéir. De même les stars. Maîtresses de la mode, elles en enfreignent les tabous à leur gré. Les premières, elles ont franchi les barrières de la sexualité vestimentaire, les stars féminines annexant tweed, chaussettes, shorts, pantalons, les stars masculines adoptant couleur et bariolages. Les stars savent que le grand chic se plaît à emprunter les apparences de l'antichic, que l'exceptionnel est parfois le très simple, que l'exquise modestie (attribut nécessaire de toute grande personnalité) provoque l'éblouissement suprême. Les stars aiment *aussi* les robes sans apprêt, les blue-jeans, chandails, velours qui, autant que les tenues somptueuses, mettent en relief leur royale beauté.

Dans leur émouvante simplicité, les stars cultivent éventuellement le genre « artiste » qui permet aux personnalités originales de se désigner à l'étonnement du profane. Enfin, comme les califes de Bagdad dissimulaient leur souveraineté sous une cape de marchand, la star pratique « l'incognito », ostentation suprême de la simplicité. Le port d'énormes lunettes noires cerclées de blanc a longtemps permis à la population d'Hollywood de reconnaître les stars. Starletts et figurants firent de même, et ces lunettes noires dissimulèrent leur anonymat, sous le signe évident de la célébrité (cf. Leo Rosten, *Hollywood*, p. 45-46).

Beauté, spiritualité, sur-personnalité, ces qualités s'appellent et se recouvrent réciproquement. Elles constituent
les ingrédients élémentaires, non pas sans doute de toute
« starité », nous le verrons, mais de la « starité » féminine.
Le *star system* ne fait pas que les révéler. Il les perfectionne,
les recrée et éventuellement les fabrique purement et simplement. La beauté seule est exigée au départ, et encore :
la non-laideur peut suffire aux esthéticiens pour créer la
beauté. La spiritualité et la personnalité, elles, peuvent être
manufacturées de toutes pièces. Et du reste, ce sont en dernière instance les foules admiratives qui en feront don à la
star, et qui, par ce don d'âme, la feront star.

Au départ, n'importe qui, doué de ce talent spontané
et irremplaçable qu'est la beauté, peut aspirer à devenir
star. Toute belle fille peut dire : « Pourquoi pas moi ? »
Une technique est nécessaire pour être acteur de théâtre.
Nulle technique première n'est requise pour être star. Dans
les bureaux, les classes de lycée, les éventaires de grands
magasins, au sein de tous les ennuis, de toutes les attentes
et de tous les rêves de gloire, la beauté captive nourrit et
entretient le rêve : « je serai star ». Elle brise parfois ses
chaînes et va s'inscrire au cours René Simon, salle d'attente
des annonciations promises.

Pourquoi pas moi ? Les exemples sont innombrables :
jeune fille rencontrée dans la rue, dans le tramway, accostée
(« Voulez-vous faire du cinéma, mademoiselle ? »), figurante
remarquée, mannequin, pin-up, lauréate ou non lauréate
de prix de beauté devenues Silvana Mangano, Ava Gardner,
Gina Lollobrigida. Tout encourage...

Mais en même temps tout décourage : en douze ans,
douze figurantes seulement sur 20 000 sont devenues vedet-

tes à Hollywood. Parmi les millions d'appelés quelques élus.

Etre star, c'est précisément l'impossible possible, le possible impossible. La plus talentueuse des actrices n'est nullement assurée de devenir star, mais le minois inconnu peut être promu du jour au lendemain à la vedette. (Ceci dit, la plus talentueuse des actrices *peut* devenir star, et le minois a toutes chances de rester inconnu jusqu'au défraîchissement.)

Ici, le mythe commence, à l'extérieur du royaume des stars, au cœur même de la réalité. Le *star system* est fermé, inaccessible. Aux portes du château, les oncles Talky et autres Saint-Jean-Bouche-d'Or découragent les espoirs, prédisent désillusions, chômage, misère... Mais en même temps ils encouragent les Cendrillons et Peaux d'Ane en leur évoquant les autres Cendrillons et Peaux d'Ane découvertes et appelées par les messagers inconnus du château.

Prodigieuse technique de l'encouragement-découragement. L'accession à la starité dépend d'un hasard. Ce hasard est une chance, cette chance est une grâce.

Aucune recette donc. Les manuels au titre prometteur (*Tu seras star*, *Comment devenir vedette de cinéma*, etc.) le précisent. Ce qui importe en premier : le *don*. Le don, c'est-à-dire aussi bien le don de soi que le don miraculeux, transcendant, le don de la grâce.

La beauté et la jeunesse sont les conditions premières de la grâce. Ces qualités étant données, les *Tu seras star* invitent les postulants à développer leur beauté, à exploiter au plus vite leur jeunesse.

Ils ne préparent nullement à un métier d'acteur, mais soumettent, entourées de précautions pudiques, quelques techniques d'arrivisme. Gentilhomme rappelle que le culot est utile (« on finira peut-être par vous engager pour se débarrasser d'un raseur monumental »); il met en garde contre les « couchages », mais constate que de « grandes vedettes

pratiquent une intimité fort poussée avec certaines personnes en place ». Tous les moyens sont bons pour une si noble
cause. Devenir star se justifie comme la raison d'État,
comme la réussite suprême, qui transforme l'arrivisme en
ambition, l'ambition en grandeur d'âme.

Les cours spécialisés et les concours de beauté sont les
lieux où souffle la grâce. Les concours de beauté peuvent
conduire directement l'élue aux portes des studios, sous
l'effet d'une « starlettisation » immédiate, comme le concours
organisé par *Cinémonde* qui, de sélection en sélection, aboutit à Hollywood où se décerne le titre de Miss Univers en
même temps qu'un contrat de starlett.

Les cours spécialisés sont des pépinières d'un autre genre.
Apprenez à jouer, disait René Simon à ses élèves. Mais
les aspirants à la starité savent bien qu'il s'agit là d'un passe-
temps, en un lieu privilégié où la grâce aime faire ses élections. Ils savent qu'ils doivent avant tout faire remarquer
leur beauté, leur « personnalité », leur « type ». Chevelure,
visage, poitrine, hanches, jambes sont les signes les plus
éloquents de cette personnalité; chacun les oriente vers les
rayons de la grâce.

Les metteurs en scène descendent parfois au cours Simon;
parfois ils lancent une annonce dans les journaux; parfois
encore ils vont par les villes et par les champs et interrogent
les visages. Hollywood a inventé pour sa part le *talent-
scout*, détecteur spécialisé de futures vedettes, parcourant
la vaste Amérique, inconnu de tous, à la recherche des
sources de radio-activité starifiante.

Un *talent-scout* est frappé par un visage prometteur dans
le métro. Accostage, test photo, essai d'enregistrement.
Si l'épreuve est concluante, la jeune beauté part pour Hollywood. Liée aussitôt par contrat, elle est recréée par les
masseurs et les esthéticiens, le dentiste, éventuellement le

chirurgien. Elle apprend à marcher, à perdre son accent, à chanter, à danser, à « se tenir ». On lui enseigne la littérature, les idées. La star étrangère qu'Hollywood rabaisse au niveau de starlett voit sa beauté transformée, recomposée, maxfactorisée, apprend l'américain. Puis ce sont les essais. Elle tourne : 30 secondes de gros plan en technicolor. Une nouvelle sélection s'opère. Remarquée, elle bénéficie d'un rôle secondaire. On lui choisit son auto, ses domestiques, ses chiens, ses poissons, sa volière; sa personnalité s'amplifie, s'enrichit. On attend les lettres. Rien. C'est l'échec. Mais il peut arriver un jour que le « Fan Mail Department » signale à l'*executive producer* que la starlett reçoit 300 lettres d'admirateurs par jour... Alors on décide de la lancer, on fabrique une romance dont elle est l'héroïne. Elle défraie les chroniques. Sa vie privée est illuminée déjà du feu des projecteurs. Enfin, elle occupe la vedette d'un grand film. L'apothéose : le jour où les *fans* déchireront son manteau : elle est star.

Ainsi, un admirable pygmalionisme industriel produit des Ava Gardner, déesses splendides. La star se fabrique :
— Faites-moi une vedette.
— Budget habituel?
— Budget habituel.
(R. M. Arlaud, *Cinéma-Bouffe*, p. 163).

Alimentée par les *talent-scouts*, c'est une véritable manufacture de vedettes qui happe l'inconnue dans la rue pour, après de multiples manipulations, sertissages, assemblages, éliminations, sélections, la projeter star sur les écrans du monde.

Nous pouvons voir au cours de ce processus de fabrication, s'épanouir la divinité enfouie en germe dans la beauté. Trois orbites planétaires jalonnent la distance interstellaire qui va de la belle fille à la star. Ce ne sont pas des étapes

nécessaires, et chacune peut être un terminus : pin-up, starlett et vedette.

La *pin-up* est une belle fille qui fait métier de ses photographies. Sa beauté est déjà rentable, efficace. La pin-up
est déjà publique, comme la star.

Mais la pin-up est inconnue. Elle doit rester anonyme.
Son nom n'est jamais indiqué sous la photographie. Elle
est matière plastique pour des poses et des métamorphoses
toujours nouvelles, à travers lesquelles il n'est guère possible de l'identifier. La pin-up n'a pas d'identité, au double
sens du terme : elle ne doit jamais ressembler à elle-même,
elle n'a pas d'elle-même. La star, par contre, est toujours
reconnue et reconnaissable. Son identité d'archétype transcende toujours ses poses et ses métamorphoses.

Les photos qui reproduisent le corps de la pin-up et le
corps de la star sont de nature différente, du moins jusqu'à
l'apparition du type marilynien, remarquable synthèse de
la star et de la pin-up que nous n'omettrons pas d'examiner
dans tout son relief. La pin-up met en vedette son corps,
ses seins, ses hanches, sa chair. La star n'exhibe sa nudité
qu'à de rares moments décisifs. Margaret Thorp remarque
que *l'importance d'une star est en rapport inverse avec la
quantité de jambes montrées dans ses photographies*. Certes
on gravit les échelons de la starité avec des poses de pin-up,
bains de soleil et piscines. On n'y accède que photographiée
dans les apparats d'hôtesse. La star exhibe alors son âme
et son visage où l'érotisme se conjugue à la spiritualité.

La pin-up n'est pas que jambes et poitrine. Des visages
s'affichent sur la couverture des magazines. Mais chacun,
devant ce visage sans identité, y rêve d'un visage aimé,
comme les prisonniers de *Brute-force*. La pin-up est indé-
terminée. La star est sur-déterminée.

La fabrication des stars consiste essentiellement à insuf-
fler de la personnalité à la pin-up originelle.

La starlett est à mi-chemin de la pin-up et de la star. La starlett fut d'abord la presque-star, mais on consent aujourd'hui à appeler starlett toute jeune personne qui, même n'ayant encore jamais tourné, désire immensément être star et se fait photographier avec mention de son nom. Est donc starlett une jolie fille qui réussit à se faire nommer telle... Qui impose son *nom*.

La starlett est en quête des attributs de la personnalité. Visitée par le mythe de la star, elle se veut à sa ressemblance. Elle doit, comme la star, changer le plus souvent possible de toilettes, être présentée aux cocktails, réceptions, etc. Elle va au festival de Cannes où elle préfère, à une pièce opulente dans un hôtel bourgeois, une chambre exiguë au Carlton. Sur la croisette, la starlett essaie d'afficher une individualité hors pair. Aussi peut-on la voir tenir un mouton ou un guépard en laisse (année 1955). Malheureusement, la starlett est contrainte d'adopter pour le photographe des poses de pin-up. Elle voudrait mimer le comportement de la star, mais elle est obligée de faire le contraire. Alors que la star fuit ses admirateurs, la starlett les cherche. Alors que la star montre son âme, la starlett doit exhiber son corps, l'offrir en holocauste sur l'autel gardé par les marchands de pellicule. La course à l'exhibition qui s'engage entre starletts les amène aux poses les plus étranges, les moins naturelles, mais toujours les plus stéréoscopiques. Simone Silva dénude sa poitrine et la soumet à l'appréciation palpable alors que Gina Lollobrigida laisse seulement deviner la sienne. La starlett entrevoit la chance de devenir star dans les photos et les attitudes que s'interdit la star.

Mais on parle d'elle, et elle gravit ainsi les premiers échelons de la « starité » : elle fait connaître sa personnalité. Celle-ci est encore fragile. Que la star paraisse et la starlett se fond dans le paysage; elle perd son individualité, redevient pin-up, se survit dans une agglutination collective

de belles filles, demoiselles d'honneur de la star, cardina-
lettes d'une papauté à laquelle chacune se voudrait appelée.

A un stade supérieur, la vedette. La vedette n'est toutefois pas l'échelon intermédiaire entre la starlett et la star.
La vedette est le lieu commun de tous les acteurs de premier plan. Les stars sont évidemment des vedettes, mais
des Charles Vanel, des Escande, des Larquey, qui sont
« vedettes » ne pourront qu'exceptionnellement devenir
stars.

Ce qui leur manque, c'est cette dose supplémentaire qui
transforme la personnalité en sur-personnalité. La star,
comme la reine des abeilles, se différencie en assimilant
une gelée royale de sur-personnalité. Nous verrons plus
loin qu'il est de multiples voies qui conduisent à la sur-
personnalité. Ce qui nous intéresse ici, c'est le cas à la fois
extrême, particulier et significatif de la star féminine d'amour
pour qui le *star system* est une énorme fabrique imperson-
nelle de personnalité à partir de ces matières premières
que sont la beauté et la jeunesse.

L'échange et le mélange des deux personnalités, celle
des héros de films et celle, plus ou moins fabriquée, de l'actrice fait épanouir la star, laquelle déterminera en retour
ses personnages.

Nous entrons désormais dans la dialectique stellaire. La
beauté et la jeunesse de la star magnifient ses rôles d'amoureuse et d'héroïne. L'amour et l'héroïsme magnifient en
retour la star jeune et belle. Au cinéma elle incarne une
vie privée. En privé, elle se doit d'incarner une vie de cinéma.
A travers tous ses rôles de films, la star joue son propre
rôle. A travers son propre rôle, elle joue ses rôles de films.

Qu'est-ce qu'un film, sinon un « roman », c'est-à-dire
une histoire privée destinée au public? La vie privée d'une

star se doit d'être publique. Les magazines, les interviews, les fêtes, les confessions *(Film de ma vie)* contraignent la star à afficher sa personne, ses gestes, ses goûts. Les vedettes n'ont plus de secret : « L'une explique comment elle se purge, une autre révèle la joie secrète qu'elle éprouve à épucer son griffon de la Havane. » Potins, indiscrétions, photos, transforment le lecteur de magazine en voyeur, comme au cinéma. Le lecteur-voyeur persécute la star, dans tous les sens du terme. Ingrid Bergman, Rita Hayworth fuient les photographes mais sont toujours rattrapées. Les télé-objectifs se dissimulent derrière les troènes du parc et saisissent le moment où Grace Kelly porte à ses lèvres la main de Jean-Pierre Aumont.

La star ne peut se dérober. Qu'elle proteste et les échos fielleux se glissent dans les magazines, et les *fans* s'indignent. Elle est prisonnière de la gloire.

Au stade hollywoodien, le *star system* comporte l'organisation systématique de la vie privée-publique des stars. Buster Keaton était condamné par contrat à ne jamais rire. Les contrats, également, contraignent l'ingénue à une vie chaste, du moins en apparence, en compagnie de sa mère. La *glamour-girl*, par contre, doit se montrer dans les night-clubs au bras de cavaliers choisis par les producteurs. Les impresarios fixent d'intimes rendez-vous romanesques, baignés de clair de lune et de flashes photographiques.

La star appartient toute à son public. Glorieuse servitude dont s'apitoie ce même public qui l'exige. Comme les rois, comme les dieux, la star appartient d'autant plus à ses admirateurs qu'ils lui appartiennent.

Les adorateurs exigent d'elle simultanément la simplicité et la magnificence. L'une ne va pas sans l'autre, nous l'avons vu : le comble de la grandeur est l'exquise simplicité, mais cette simplicité serait invisible si elle était simple. Elle doit dohc être ostentatoire.

Nous avons décrit plus haut le faste dont les stars s'entourent en toute simplicité. Qui dit faste ou luxe dit *dépense*. Les hommes peinent. Les rois et les dieux dépensent. Ils dépensent la peine des hommes, qui ne dépensent pas leur peine précisément pour cette dépense, dont ils jouiront en rêve, en spectateurs.

Qui dit dépense dit jeu. Les stars de la grande époque qui dépensaient sans compter jouaient leur vie. Plus prosaïques, les stars actuelles placent leurs revenus. Mais elles vivent dans le jeu. Le travail était banni des champs Élysées où accédaient les héros, après les dures épreuves. De même, après les travaux d'Hercule filmiques, la vie privée des stars est une vie de fêtes, de réceptions, de « *parties* ».

Vie de loisirs, « la vie sociale d'Hollywood tourne autour des « *parties* » (Leo Rosten, *Hollywood*, p. 182). Cette vie, mythique pour le spectateur qui travaille et peine, est ici réelle : rencontres, plaisirs, idylles, batifolages, travestis, bals masqués, petits jeux » : *Come as you are*. (Le jeu consiste à se rendre à la *party* dans la tenue où l'invitation envoyée à une heure embarrassante, vous a surpris), *Come as your first ambition*, etc.

Vie sans frontières. Prendre l'avion et franchir les continents pour tourner des extérieurs, se rendre à une première ou à un « festival » est comme l'exaltation d'une liberté supérieure. Faire un film apparaît enfin comme le jeu des jeux.

Vie ludique, ou plutôt vie de Carnaval, déguisée, offerte, prodiguant photos, échos et potins comme des fleurs et des confetti, et qui atteint sa plénitude et son apogée mythique dans les festivals.

Le *star system* a dévoré les concours internationaux de films pour en faire des concours internationaux de vedettes. A Cannes, ce ne sont pas tant les films que les stars qui s'exhibent en spectacle. Il est bien évident que le festival

est avant tout pour l'opinion que la grande presse, les hebdomadaires, les magazines forment ou informent, un rendez-vous des stars : vedettes de films d'abord, mais aussi
de tout ce qui participe à la vedette : metteurs en scène,
écrivains célèbres, riches personnages, aghakhans, et aussi
tout ce qui aspire à la vedette : starletts, pin-up, génies en
herbe.

De même que, lors des Anthestéries, les morts reviennent
parmi les vivants, de même tous les ans au festival de Cannes,
les vedettes impalpables quittent la pellicule et s'offrent
au regard des mortels; elles daignent avoir un corps, un
sourire, une démarche terrestre, distribuent cette preuve
tangible de leur incarnation : l'autographe.

La question que l'on pose à celui qui rentre de Cannes
est d'abord : « Quelles vedettes avez-vous vues ? » et ensuite :
« Quels films ? » L'initié cite modestement : « Alain Delon,
Jeanne Moreau. » Alors il doit répondre à la deuxième
question, la question clé, celle qui implique et explique
toute la mythologie du festival : « Est-elle aussi bien qu'à
l'écran, aussi jolie, aussi fraîche ? », etc. Car le vrai problème est celui de la confrontation du mythe et de la réalité,
des apparences et de l'essence. Le festival, par son céré-
monial et sa mise en scène prodigieuse, tend à prouver à
l'univers que les stars sont fidèles à leur image.

Tout, dans l'économie interne du festival, dans ses mani-
festations quotidiennes, nous démontre qu'il n'y a pas
d'une part une vie privée, quotidienne et banale des stars
et d'autre part une image idéale et glorieuse, mais que
la vie physique des stars est conforme à l'image cinématographique, vouée aux fêtes, aux plaisirs, à l'amour. La star
est entièrement contaminée par son image et se doit de
mener une vie cinématographique. Cannes est le lieu
mystique de l'identification de l'imaginaire et du réel.

Les stars mènent une vie de festival : le festival mène une

vie de stars — une vie de cinéma. Fastes, réceptions, batailles de fleurs, maillots de bain, robes de soirées nous les
montrent décolletées, demi-nues sous un soleil perpétuel
qui essaie de se rendre digne des sunlights (le climat de
Cannes, comme celui de Venise appelle de tout son charme
géographique la localisation du mythe de la vedette). Images merveilleuses, exquises de spontanéité, bien entendu
aussi apprêtées, aussi rituelles que celles des films. Tout
contribue à nous donner l'image d'une vie élyséenne. Donner l'image est le terme exact, car il s'agit de poser, non tant
pour le public de Cannes que pour l'univers entier par le
truchement de la photographie, de la télévision et des actua-
lités.

De l'apprentie-starlett à la star souveraine, du déshabi-
billé bucolique des îles de Lérins au souper solennel aux
Ambassadeurs, tout part de la photo pour retourner à la
photo. Tout ce qui est photogénique aspire à être photographié. Tout ce qui est photographié ressemble à ce qui
est filmé. Tout ce qui est filmé est multiplié par la photographie. Plus de cent photographes arpentent la Croisette,
chacun portant en bandoulière le regard de millions de
voyeurs. C'est le *double* de l'univers festivalesque qui importe.
Saisi dans l'illumination des magnésiums, on le jettera en
pâture mystique à l'univers. C'est l'apparence, la beauté,
l'éternité truquée, le mythe de la vedette-qui-vit-le-film-de-
sa-vie, le cinéma magique, qui règnent à Cannes pendant
quinze jours.

Aussi faut-il interroger les milliers de photos ou plutôt
les quelques archétypes photographiques aux mille variantes
que le festival diffuse sur le globe.

L'escalier du festival, balayé, inondé, ruisselant de la
lumière des projecteurs, est dominé par un véritable polypier
de photographes. Au bas de l'escalier, dans une enceinte
de barrières et de gardes, les vedettes sont déposées par des

voitures de grand luxe; alors commence l'ascension à la fois mystique, radieuse et souriante de l'escalier. Cette cérémonie, équivalent du triomphe romain et de l'ascension de la Vierge, est quotidiennement recommencée. C'est le grand rite. La star est là, à son moment d'efficacité magique extrême, entre la limousine et la salle de cinéma où elle va se dédoubler, entre l'écran et le temple. La photographie clé du festival est celle qui la saisit dans ce rayonnement et cette gloire, à l'apogée de la festivalité.

Les autres photographies s'éparpillent dans les réceptions, sur la plage, au bar du Carlton et autres lieux consacrés. Elles ne négligent pas pour autant les régions profanes inattendues que la star peut illuminer de sa présence.

Ces photographies sont soumises à un véritable rituel de poses et d'attitudes. Les poses-types expriment la plénitude et la joie extatique de vivre : visage offert et rayonnant, rire qui s'ouvre, non pas sur l'orifice obscène du palais, mais sur une superbe rangée de dents serrées. Cette synthèse du rire et du sourire transmet l'euphorie de l'un, mais sans la vulgarité, l'amitié de l'autre, mais sans la réserve timide. Stars, starletts, pin-up sourient à la vie et nous sourient personnellement.

Autre attitude classique : les poses amicales, enlacées et tendres qui témoignent d'amitiés merveilleuses et d'amours plus merveilleuses encore. Leur vie baigne dans l'amour. Non content de fixer les amours truquées, le télé-objectif tente de surprendre les vrais baisers et les vraies caresses qu'échangent les vedettes lorsqu'elles se croient dissimulées.

Une troisième série de photos se situe dans la ligne émouvante de la Vierge à l'enfant : on nous montre la vedette (Lollobrigida, Doris Day, etc.) embrassant une petite fille, vedette elle-même de préférence (Brigitte Fossey). Elles nous enseignent que, profondément humaine, la star est toujours prête à verser le lait de la tendresse maternelle sur tout ce qui est innocent, faible, désarmé. En même temps ces photos reflètent une évolution du *star system* : depuis 1930 la star a perdu certains attributs divins (solitude orgueilleuse, inaccessible, destin hors série s'effectuant uniquement dans le registre des sentiments sacrés de l'amour et de la mort) pour acquérir des attributs plus familiers (vie d'intérieur, goût pour les pommes de terre frites, amour des enfants). Moins marmoréennes mais plus émouvantes, les stars humaines sont du coup moins idolâtrées, mais plus chères.

Enfin, il faut relever l'importance accrue des poses et des attitudes comiques ou piquantes : Gina Lollobrigida jouant à la pétanque, Eddie Constantine s'affublant d'une toque de cuisinier et goûtant aux sauces, etc. Ces gamineries charmantes illustrent le mythe du bonheur des stars, un bonheur de vacances, celui des rires et des jeux que les champs Élysées réservaient aux héros.

Le bizarre, le bonheur, les plaisirs et les jeux, l'amour, la joie extatique de vivre sont donc les caractères d'un monde qualitativement majoré, débarrassé des scories, de la laideur, du travail, du besoin, et placé sous le signe d'une festivalité permanente.

Le rendez-vous des stars, dans un paysage de starletts en fleurs, tient à la fois du théâtre et du rite. Ou plutôt de la superproduction à grand spectacle. Les stars jouent leur vie réelle sur le mode cinématographique. Gary Cooper et Gisèle Pascal, Olivia de Havilland et Pierre Galante, Grace Kelly et Jean-Pierre Aumont ont opéré à Cannes, comme au cinéma, en un lieu de cinéma, et par-delà le cinéma le mystère de l'amour fatal.

C'est sur le chapitre de l'amour que la star adhère le plus efficacement à son personnage d'écran. Les amours de Greta Garbo et John Gilbert, ceux de Michèle Morgan et d'Henri Vidal, nées de baisers de cinéma, resplendissent au zénith mythique du *star system*.

La star doit, de préférence, aimer la star. Fairbanks-Pickford, Gable-Lombard, Taylor-Stanwyck, Pellegrin-Pascal, Marchal-Robin, Sinatra-Gardner, Olivier-Leigh, Delon-Schneider, Signoret-Montand, Taylor-Burton, etc. constituent des couples modèles. Seuls les rois, aristocrates, champions, toreros, chefs d'orchestre mondialement réputés, nababs, les Ali-Khan, les Rainier, les Stokovski, les Domingin se situent au niveau des stars.

La star souffre, divorce, est heureuse, vit d'amour, pour l'amour. Ses adorateurs ne sont pas jaloux de ses amants, ou plutôt ils ne le sont que si ceux-ci enlèvent la star au cinéma. C'est alors que les *fans* dupés, trahis, maudissent Rita Hayworth et Ingrid Bergman qui les ont abandonnés.

La star peut aller d'amour en amour, à condition de rester fidèle au grand rendez-vous d'amour collectif des salles de cinéma. Son mariage éveille les plus vives sympathies, son divorce une sympathie plus grande. « Le courrier d'une actrice croît généralement après un divorce, selon les responsables de nombreux *Fan's Mail Departments* de Hollywood » (Rosten, *op cit.*, p. 124). A vrai dire, les *fans* attendent le divorce dès le mariage de la star.

Comme sur l'écran, l'amour ne peut chômer hors de l'écran. « Quatre cents reporters, sans compter le corps de cancaniers proprement hollywoodiens, sont en alerte vingt-quatre heures sur vingt-quatre, flairant sans cesse les bruits de flirts, d'amour, de divorce, d'infidélité. » (Rosten, *op. cit.*, p. 124).

Hollywood a introduit dans les aventures réelles la part

de fiction qui s'impose, fabriqué de toutes pièces des rumeurs d'idylle ou de divorce selon les nécessités publicitaires, élabore sans trêve des romans d'amour fictifs avec partenaires appropriés. Les studios payent souvent la note pour repas et cocktails de « romances » falsifiées. « X sort beaucoup avec Y », écrit-on alors, laissant tout entendre, tout espérer ou tout craindre. Ainsi furent attribués à Tyrone Power, durant la saison 1937-1938, les plus tendres sentiments à l'égard de Loretta Young, Sonia Hejnie, Janet Gaynor, Simone Simon, Arlen Whelan.

L'amour ainsi fabriqué est évidemment à l'image de l'amour de cinéma : sentiment passionné mais imprégné de spiritualité. Certes, le mythe des stars ne nie pas la sexualité. Il la sous-entend toujours. Les « potins » le suggèrent en parlant de « fiançailles » ou de « violente attirance ».

Mais les stars ne font l'amour que dans un mouvement supérieur et éperdu de l'âme. Prêtresses de l'amour, elles le transcendent en l'accomplissant. Elles ne peuvent se livrer à la débauche, c'est-à-dire à la jouissance privée de spiritualité, sous peine d'être bannies de Beverley Hills. Ou du moins elles doivent se dissimuler. Même alors, elles n'échappent pas au regard nyctalope du magazine *Confidential* qui livre leurs vies secrètes en pâture aux cloportes du voyeurisme.

La star jouit pour l'univers entier. Elle a la grandeur mystique de la prostituée sacrée. Dans le Léthé de chaque salle obscure, son corps se purifie et s'immole. Peu importent ses partenaires : c'est l'Amour qui la visite, l'Amour qu'elle attend, l'Amour qui la guide.

La « festivalité », la vie privée-publique, les grandes amours sont évidemment des mythes collectifs à la fois sécrétés par le public et fabriqués par le *star system*. Mais cette vie mythique, répétons-le, est en partie vécue par la star elle-même.

La star est en effet, subjectivement déterminée par son double d'écran. Elle n'est rien, puisque son image est tout. Elle est tout puisqu'elle est aussi cette image. La psychologie des stars exige une incursion préalable dans la psychologie du dédoublement.

Il est un moment premier de l'évolution humaine, où le double correspond à une expérience vécue fondamentale : chez les archaïques comme chez les enfants, la première vision, la première conscience de soi est extérieure à soi. Le « je » est d'abord un autre, un *double*, que révèlent et localisent ombres, reflets, miroirs. Le double se réveille quand le corps s'endort, il se libère et devient « esprit » ou fantôme quand le corps ne se réveille plus jamais. Il survit au corps mortel. Les dieux se dégageront du commun des morts pour devenir les grands immortels. Le double est à l'origine du dieu.

Au stade actuel des civilisations, notre double s'est atrophié. Le langage nous en révèle les traces résiduelles. La formule « moi, je » est un de ces résidus. Le double s'est plaqué sur notre peau, il est devenu notre « personnage », ce rôle prétentieux que nous jouons sans cesse aussi bien pour nous-mêmes que pour autrui. La dualité enfin est intériorisée : elle est dialogue avec notre âme, notre conscience. La star au contraire voit ressusciter, se détacher d'elle et se déployer le double archaïque : son image d'écran, sa propre image, omniprésente, envoûtante, rayonnante. Comme ses admirateurs la star est subjuguée par cette image en surimpression sur sa personne réelle : comme eux, elle se demande si elle est bien identique à son double d'écran. Dévaluée par son double, fantôme de son fantôme, la star ne peut fuir son propre vide qu'en se divertissant, et ne peut se divertir qu'en imitant son double, en mimant sa vie de cinéma. Une nécessité intérieure la pousse à assumer pleinement son rôle. Un besoin intérieur la pousse donc à vivre une vie d'amour et de festivals. Il lui faut être à la hauteur de son double. Ainsi la mythologie de l'écran se prolonge derrière l'écran, hors de l'écran. La star est entraînée dans une dialectique de dédoublement et de réunification de la personnalité comme du reste l'acteur, l'écrivain, le politicien. Tout acteur tend à accentuer son dédoublement (il prend un pseudonyme) et en même temps essaie de le surmonter. L'acteur finit par jouer son rôle dans la vie et devient cabot. La star n'est pas cabotine; elle ne joue pas un rôle extérieur à elle; comme les reines, elle vit son propre rôle.

Comme l'écrivain, la star s'admire et s'adore. Mais l'âge de la maturité bonifie la gloire de l'écrivain ou de l'acteur de théâtre. Celle de la star est fragile, toujours menacée, toujours éphémère. Comme l'Abou Hassan des *Mille et une Nuits*, la reine de peut-être-un-jour craint les réveils.

Les stars donc bluffent, exagèrent, se divinisent spontanément, non seulement pour « leur publicité », comme on dit platement, non seulement pour s'égaler à leur double, mais aussi pour entretenir la survie éphémère de ce double, pour ranimer leur foi en elles-mêmes. C'est toujours d'un mélange de foi et de doute que naissent les ferveurs passionnées. Parce qu'en même temps tout la pousse à y croire et tout la pousse à en douter, la star est amenée à nourrir son propre mythe [1].

Hollywood est évidemment la cité de ce merveilleux où la vie mythique est réelle et la vie réelle mythique. Les champs élyséens sont là : ville de légende, mais qui *vit* sa légende, navire de rêve, mais ancré dans la vie réelle, Shangri-La californien où coule l'élixir d'immortalité.

---

1. Possédée par son propre mythe, la star l'impose à l'univers du film dont il est issu. Elle exige ou refuse des rôles au nom de sa propre image. P. Richard Wilm n'a jamais voulu tourner que des films où il serait vainqueur en amour. Gabin, avant 1939, exigeait de mourir à la fin du film.

La liturgie stellaire

Héroïsées, divinisées, les stars sont plus qu'objets d'admiration. Elles sont aussi sujets de culte. Un embryon de religion se constitue autour d'elles.

Cette religion répand ses ferments sur le monde. Nul n'est vraiment athée, qui fréquente les salles obscures. Mais parmi les foules cinématographiques, se distingue la tribu des fidèles porteurs de reliques, consacrés à la dévotion, les fanatiques ou *fans*.

Distinguons les fanatiques de cinéma, à qui rien de ce qui est angle de prise de vue n'est étranger, et les adorateurs de stars. Cette seconde catégorie constitue la masse idolâtre des *fans*, que l'on peut évaluer à 5 ou 6 % de la population totale en France, en Angleterre et aux États-Unis.

Leur culte se nourrit d'abord de publications spécialisées. Alors qu'il n'existe pas de magazines de théâtre, de danse, de chant, consacrés aux acteurs, aux danseurs, aux chanteurs, les magazines de cinéma sont consacrés pour l'essentiel aux stars. En communication régulière, officielle et intime avec le royaume des stars, ils déversent sur les fidèles tous les éléments vivifiants de la foi : photos, interviews, potins, vies romancées, etc.

Il est un canal plus direct, plus personnel, plus émouvant que le magazine, encore qu'il puisse emprunter ses colonnes : le courrier des stars. Acteurs de théâtre, danseurs, chanteurs reçoivent un important courrier d'admirateurs, mais

celui des stars le dépasse par le nombre et s'en différencie
par le contenu.

On peut évaluer à plusieurs millions par an les lettres
adressées aux vedettes d'Hollywood. Un grand studio recevait en 1939 de 15 000 à 45 000 lettres ou cartes par mois,
chiffre minime par rapport à d'autres années. Selon Margaret Thorp, une star de premier plan reçoit 3 000 lettres par
semaine.

En France, les liaisons sont directes entre les vedettes
et leurs admirateurs. Aux États-Unis, les studios gèrent
directement les « Fan Mail Departments », véritables services de météorologie qui considèrent le nombre de lettres
reçues par une artiste comme le baromètre exact de l'opinion à son égard. Ce baromètre nous permettra de reconnaître les hautes pressions mystiques qui entretiennent le
star system.

Les clubs de vedettes sont les chapelles où s'exaltent les
ferveurs particulières. L'idole vient périodiquement sanc-
tifier son club. Elle révèle des aspects nouveaux de sa vie
privée-publique, de ses activités cinématographiques. Elle
répond aux questions qui montent vers elle. Elle chante,
danse, ou organise une excursion collective. Jean Marais
promène en bateau-mouche ses admiratrices. Les ressour-
ces du club, comme celles des églises, vont en partie à des
œuvres charitables, en partie à la propagation de la foi.
L'effigie en bronze de Luis Mariano est répandue parmi les
fidèles. Chaque star a son culte particulier. Il est des clubs
ouverts démocratiquement au tout venant des admirateurs,
d'autres de caractère ésotérique. L'accès du club Deanna
Durbin, fut réservé à une élite. Pour y adhérer, il fallait :

— avoir vu chaque film de Deanna Durbin au moins
deux fois;

— présenter une importante collection de documents
sur la vedette;

— être abonné au *Deanna Journal*.

Le *Joan Crawford Club* fut un des clubs des mieux organisés. Tout postulant recevait la lettre suivante (Margaret Thorp, *America at the movies*, p. 67-68) :

« Cher Correspondant,

Nous vous remercions vivement de l'intérêt que vous portez à notre mouvement. Nous sommes heureux de vous communiquer les précisions que vous demandez, et nous espérons qu'elles vous seront de quelque utilité.

Le *club Joan Crawford* a été officiellement fondé en septembre 1931 et il est devenu depuis un des clubs les plus importants et les plus actifs. Nous comptons des membres, aussi bien en Amérique qu'en Angleterre, Irlande, Australie, Écosse, Afrique du Sud et même Java.

Mlle Joan Crawford prend le plus grand intérêt à nos activités. Elle ne se borne pas à envoyer personnellement des photos dédicacées à tous nos nouveaux membres lors de la parution de l'organe de notre club. Elle répond enfin à toutes les questions que vous voudrez bien lui poser dans une rubrique régulière de notre magazine : *la boîte à questions de Joan*.

Nous sommes fiers de notre magazine qui publie de nombreux et intéressants articles sur Mlle Crawford et nos membres d'honneur : nouvelles du club, potins, les dernières nouvelles d'Hollywood, New York et Londres, centres mondiaux du spectacle. Nous avons un comité de rédaction parmi les membres de notre club et nous invitons cordialement qui le désire à nous soumettre ses articles. Parmi nos collaborateurs, nous comptons Jerry Asher et Katherine Albert, deux des meilleurs amis de Mlle Crawford, tous deux écrivains de profession, et qui sont capables de nous parler d'elle.

L'état de membre vous donne droit à une photo dédi-
cacée à votre nom de Mlle Crawford, une carte de membre,
une liste des membres, six numéros de *Crawford News* qui
paraît tous les deux mois, et à tous les privilèges accordés
par le club. La cotisation s'élève à 50 cents pour l'Amérique,
75 cents pour l'étranger (ou 3 shillings) payables par cou-
pons internationaux.
 Nous espérons avoir bientôt le plaisir de vous compter
parmi nous.
 Bien à vous. *(Marian L. Dommer, présidente en fonction).* »

 Aux pieds de chaque star s'édifie spontanément une cha-
pelle, c'est-à-dire un club. Certaines s'élargissent en cathé-
drale, tel le club Luis Mariano qui a pu compter plus de
20 000 zélateurs. Aux États-Unis, chaque église organise
périodiquement des pèlerinages à la grande Jérusalem-
mère, Hollywood.
 Les festivals sont de grandes fêtes-dieu où la star descend
assister en personne à son triomphe. La ferveur peut alors
se muer en frénésie, l'adoration en délire.
 Magazines, photos, courrier de vedettes, clubs, pèlerinages, cérémonies, festivals, sont les institutions fondamentales du culte des stars. Il nous faut maintenant examiner
ce culte lui-même.

 L'amour du *fan* ne peut *posséder*, aussi bien au sens
sociologique qu'au sens physique du terme. La star échappe
à l'appropriation privée. L'amour pour la star est sans
jalousie, sans envie, partageable, peu sexualisé, c'est-à-dire
adorateur. L'adoration implique le rapport ver de terre-
étoile. Certes le rapport ver de terre-étoile s'établit dans
l'amour réel entre deux êtres, mais en toute réciprocité.

L'adorateur veut que l'adorée soit elle-même adoratrice.
Le ver de terre se veut étoile, à son tour.

Le *fan*, lui, s'accepte purement et simplement ver de
terre. Il voudrait être aimé, mais en toute humilité. C'est
cette inégalité, qui caractérise l'amour religieux, adoration
non réciproque, mais éventuellement récompensée.

Les lettres envoyées aux stars expriment cette adoration,
les magazines et photos l'alimentent, les clubs l'institutionnalisent.

Les lettres ressassent les mêmes phrases : « Vous êtes
ma star préférée... J'ai vu votre dernier film, six, sept, huit
fois. » Un correspondant assure avoir vu le même film cent
trente fois. Les lettres sont louanges, ravissement, extase,
profession de foi.

Une enquête de J.P. Mayer a suscité parmi les spectateurs et spectatrices des cinémas britanniques, nullement
choisis parmi les fanatiques des stars, une série de témoignages où le langage de l'amour (je suis amoureux de) se
mêle à celui de l'adoration (mon idole). Il peut être utile
de citer quelques-uns de ces témoignages (J. P. Mayer, *British Cinemas and their audiences)* :

Age : 21 ans, sexe féminin, dactylo, anglaise :

« A 17 ans les histoires d'amour me passionnaient. Tyrone
Power était mon idole et je voyais ses films quatre ou cinq
fois. Je pense que j'avais dû en tomber amoureuse, et je
rebattais les oreilles à ma sœur et à mes amis jusqu'à ce
qu'ils en aient par-dessus la tête. J'aimais son jeu, la façon
dont il faisait la cour, son courage et son audace. Quand
il embrassait sa partenaire principale un curieux frisson
me parcourait l'échine jusqu'au cœur. Quelquefois dans
des rêves qui me semblaient très réels, je le voyais m'embrasser. Cela peut paraître ridicule mais c'est exactement
ce que je ressens. T. Power est le type même du chevalier

dont la personnalité est en rapport avec le physique. J'ai
vu tous ses films jusqu'au dernier avant qu'il ne s'engage
dans les fusiliers marins. De ne plus le voir à l'écran me
manque et j'espère le revoir très bientôt. J'envie sa jolie
femme Annabella, mais je l'aime parce qu'elle est une jolie
et bonne actrice. » *(British Cinemas and their audiences.)*

Age : 22 ans, sexe féminin, employée anglaise :
« Vers 10 ans je tombai amoureuse de Jan Kiepura que
j'avais vu dans *Tell me to night*. Ce n'était pas de l'amour,
direz-vous. Peut-être, mais mon cœur battait vraiment. Les
adultes m'assuraient que cela passerait. Mais non. Tout
au long de mon adolescence je continuais à tomber amoureuse de vedettes. Et à chaque fois je souffrais atrocement.
J'aurais voulu les aimer et qu'ils m'aimassent. Quelquefois
cela me durait des jours, quelquefois des semaines et des
mois. Cela me ravivait chaque fois que je les voyais. Personne ne sait combien j'ai pu me sentir misérable. Et pourtant quand j'y pense maintenant je m'aperçois que c'était
réel pour moi au point que je ne pouvais imaginer bonheur
plus parfait que de rêver qu'un jour je rencontrerais ces
gens. Je pense que tout cela a altéré ma vision de l'amour.
Les attentions de mon amoureux m'irritaient. Je méprisais
ses petits rendez-vous et je trouvais ses avances enfantines
et inexpérimentées.
... Et maintenant j'ai rompu plusieurs amitiés charmantes
par nostalgie de quelque chose de différent : quelque chose
fondé sur ma première idée de l'amour. » *(Ibid.)*

Age : 22 ans, sexe féminin, étudiante en médecine, anglaise :
« Deanna Durbin fut ma première et unique idole. Je
collectionnais ses photos, les coupures de presse à son sujet
et je passais des heures à les coller dans un album. J'aurais
dépensé tout mon argent de poche pour acheter un gros

livre coûteux où il y aurait eu la moindre photo d'elle. Je l'adorais et mon admiration avait un grand retentissement sur ma vie. Je voulais lui ressembler le plus possible autant par les vêtements que par les manières. Quand je devais acheter un nouveau vêtement je cherchais dans les photos de D. Durbin quelque chose susceptible de me plaire. Je me coiffais comme elle et je me trouvais dans la troublante situation où je me demandais ce que Deanna aurait fait à ma place, et j'agissais comme elle. Elle eut plus d'influence sur moi que tous les livres. J'allais voir tous ses films. Je me souviens qu'on redonnait *Three smart girls* dans une ville distante de 16 kilomètres de la mienne. Ayant enfin obtenu la permission d'y aller je pus jouir de la vision de "ma Deanna ", comme je l'appelais. J'achetais tous ses disques et les jouais jusqu'à l'usure. » *(Ibid.)*

Age : 20 ans, tisseuse en bonneterie, anglaise :
« Je suis tombée amoureuse de mon idole. C'était un nouveau venu : Gene Kelly. Je tombai amoureuse de lui quand je le vis dans *For me and my gal* que j'ai déjà vu quatre fois et que je pourrais encore revoir. J'ai vu *Cover Girl* cinq fois. J'ai une photo de Gene Kelly qui vient directement de la M. G. M. Je suis tombée amoureuse de Gene pendant la scène d'amour qu'il a avec Judy Garland dans *For me and my gal*. Pendant cette scène il y avait un long baiser pendant lequel Judy Garland serrait ses poings si fort que les jointures en devenaient blanches. Je n'oublierai jamais cela. » *(Ibid.)*

Age : 18 ans, sexe féminin, anglaise :
« Mon acteur préféré est pour le moment Bing Crosby... Je pense à lui constamment, je me demande quelles peuvent être ses réactions à certains faits divers. J'essaie d'imaginer ce qu'il fait aux différents moments de la journée, j'imagine

des films pour lui, des idées d'émissions, je me demande comment sont sa femme et ses enfants et j'espère pouvoir le rencontrer avant qu'il ne devienne vieux.

J'écoute ce que les gens disent de lui, je lis tous les faits divers qui parlent de lui, j'étudie les journaux pour savoir quand il est en retransmission et m'arrange pour pouvoir l'écouter quand deux émissions auxquelles il participe passent ensemble sur deux longueurs d'ondes différentes. Je passe mon temps à sauter d'un programme à l'autre de peur de manquer un "moment de Bing". Je me tiens au courant de sa publicité, note ses meilleures recettes; je préfère entendre Bing chanter médiocrement que n'importe qui magnifiquement. Un "four" de Crosby me plaît davantage qu'aucun triomphe de quelqu'un d'autre, j'aime le son de sa voix parlée.

Quand je lis que M. Crosby est peu accueillant pour les journalistes je le défends. Certains disent qu'il est paresseux, moi je l'admire, j'admire son indolence à se mettre en avant. De même que Frank Sinatra rend fanatiques les adolescents et les "Bobby Soxers", Bing produit un effet comparable (quoique plus calme) sur moi. Je ne me pâme pas, mais je me sens complètement "molle" quand je l'entends. Sa voix me rend heureuse au point que je souris et ai envie de rire tout haut. Quand je vois Bing à l'écran mon cœur bat et je désire que tout le monde l'aime.

Est-ce de l'amour? Je ne sais. En dépit de mon fanatisme pour lui, je ne lui ai jamais écrit, réclamé un autographe, ou collectionné les coupures de presse à son sujet parce que je suis trop paresseuse. Avant Bing, je préférais Mickey Rooney. Est-ce à cause de lui ou de ses rôles que j'ai cessé de le préférer? Je ne sais. Ce n'est pas à cause de ses nombreux mariages, la vie privée des stars ne change rien à leur talent. » (*Ibid.*)

A ce témoignage cité par J.-P. Mayer dans *British Cinemas and their audiences* (ouvrage principalement composé de ces témoignages), j'ajouterai un fragment de lettre, suscité par le culte de James Dean, et qui m'a été adressé (à la suite de la publication dans la revue américaine *Evergreen Review* de mon texte sur James Dean, que l'on trouvera plus loin).

West Toledo, 8 septembre 1958

« Cher E. M.

Comme je suis une fan vouée à James Dean, je viens d'acquérir mon premier exemplaire à *Evergreen Review* (beaucoup d'autres fans de James Dean m'en avaient parlé) avec votre essai, et la belle photo de notre bien-aimé Jimmy sur la couverture. C'est un très bel hommage à notre grande star qui vient au moment du troisième anniversaire du jour où Jimmy nous a dit adieu.

Ma belle-fille et moi nous avons suivi la carrière de Jimmy depuis sa première apparition à la TV jusqu'à ce qu'il parte pour Hollywood électriser les publics du monde entier, et jusqu'à ce tragique jour de septembre où j'ai senti que j'avais perdu comme un ami personnel. Je suis allée trois fois à Fairmount, Ind, le 2 et 3 août 1956, le 10 février 1957 (l'anniversaire de Jimmy est le 7 février), le 29 et 30 septembre 1957 pour rendre hommage à la grande star. Chaque fois j'ai rencontré de nombreux fans de Jimmy venus de différents États de l'Union et sa tombe était recouverte d'un amoncellement de fleurs (elle n'est jamais sans fleurs) qui viennent aussi bien de nombreux pays étrangers que de différents États de l'Union.

J'ai vu de multiples fois les trois mémorables films de Jimmy ainsi que ''The James Dean story''. Inutile de me demander combien de fois car je suis sûre que vous pense-

rez que j'exagère et vous ne me croiriez pas. J'appartiens
à cinq clubs voués à la mémoire de James Dean. L'un d'eux
est universel, c'est le "James Dean World Wide Club",
à Londres dont Jimmy James est président.

Nous sommes légion dans le monde, de tous âges, couleurs et croyances. James Dean a touché beaucoup de gens
dans le monde entier. Il a rempli bien des cœurs solitaires
et il a inspiré tant de jeunes à aller de l'avant et à faire quelque chose de leur vie. Nul ne pourrait prendre sa place, nul
ne saurait être davantage révéré. Qui pourrait nier que sa
mémoire soit une grande force pour le Bien ? Je pourrais
continuer à l'infini, monsieur Morin, mais je veux juste
terminer par ce court poème :

NOTRE ÉTOILE QUI BRILLE

Il y a un astre qui brille si fortement
Qu'il distribue son éclat sur toutes choses
Il brille le matin, le midi, le soir
C'est un astre qui ne tombe jamais.

Il dort le sommeil des Anges
Nul ne pourra jamais prendre la place
De Notre Petit Prince des princes
A la douce et sainte face.

Dieu a répandu sa Grâce sur Jimmy Dean
Il nous permit de le voir sur l'écran
Alors nous tous, nous l'avons en partage.
Il vivra désormais, à jamais, dans nos cœurs. »

Toutes les formes de l'amour, des plus naïves aux plus troubles, tous les degrés de l'amour se trouvent dans ces témoignages. Examinons maintenant d'autres témoignages d'amour.

Don de soi, l'amour s'accompagne de dons concrets qui le symbolisent et le consacrent. Il y a plusieurs sortes de dons, depuis le cadeau « laïque », dépense de prestige qui du reste amorce le cadeau restitutif, jusqu'à l'offrande religieuse, humble geste de piété, qui espère en retour bienfait ou bienveillance (un don est rarement gratuit), mais veut d'abord réjouir le cœur de l'idole. Fleurs, bibelots, gigots, porte-bonheur, statuettes, chandails, animaux, poupées, etc. sont les offrandes qui s'accumulent aux pieds des stars.

Chaque semaine Luis Mariano remerciait :

« Merci à toutes mes amies et à tous mes amis pour les fleurs, cadeaux, et souhaits pour mon anniversaire. » *(Cinémonde*, 27-4-1954).

« Mille fois merci pour le joli pull bleu que vous m'aviez remis juste avant mon départ en voyage. Il ne m'a pas servi au Mexique, évidemment, mais par contre au Canada, je l'ai étrenné avec joie, car il est extrêmement chaud. Encore tous mes remerciements et toutes mes amitiés, Odette, et à bientôt. » *(Ibid.,* 23-4-1954.)

« Merci à Violette pour cet original pot à tabac qui me rappellera mon voyage au pays des mineurs. Merci pour votre cadeau utile autant qu'original, chère Lisa de Bruxelles. Merci, avec beaucoup de retard, aux cartes d'Odette de Nantes... Merci encore à Monique S. des Lilas pour son don à nos amis de St-Fargeau. » *(Ibid.,* 27-10-1955.)

« *Marcella* - J'ai bien reçu les deux splendides volumes de l'Histoire de l'Art, et vous en remercie beaucoup. Mais... pour être franc, je vous dirai que je venais tout juste de les acheter.. Pensez-vous qu'il vous soit possible de les changer chez votre libraire ? Peut-être si vous le connaissez bien !... » (*Ibid.*, 20-1-1954.)

« *Marie-Antoinette* - Maman et Maria Luisa sont très touchées de vos cadeaux et vous remercient bien affectueusement ainsi que moi-même. »

« *Juanita de Alaya* - Félicitations pour vos jolies photos, maillot de bain, Gitane, chapeau mexicain et vos deux chats Figaro et Tchi-Ti-Kin et l'entrée de ma ferme de Sare avec une si charmante parure. Toutes mes félicitations pour votre réussite. »

« Tout d'abord merci pour leurs aimables cartes à Edith Baugert, de Mulhouse; la Belle Louise pour ses cartes de N.-D. et la cloche ainsi que les ravissantes poupées de collection; meilleure santé à Paula et amitiés à toutes les deux; merci de ce beau chien, et bon anniversaire à Paula. Le petit chat de Rachel Iglésias est mignon. »

« *Martha* - Merci pour votre statuette de la Madone et pour cette fort belle photo de vous. »

« *Geneviève de Bordeaux* - Merci pour votre image de saint Antoine de Padoue. »
« Merci pour les si jolies fleurs. »
« Merci pour les splendides fleurs qui m'attendent au Vésinet. »
« Merci également pour le pétale de rose symbole de tout un bouquet et pour l'amitié qui l'accompagne. »

« Merci pour les porte-bonheur et également pour ce grand désir de câlinerie inspiré par ma moustache... houlà! » (*Ibid.*, 24-12-54.)

Cadeaux destinés au corps de la star (chandails, nourriture), cadeaux symboles ou fétiches (pétales, poupées, etc.) évoquent ici les dons en nature et les offrandes symboliques qui se mêlent au pied des autels tandis que fume l'encens de la louange. On peut même voir s'ébaucher un sacrifice humain, comme chez l'adolescent qui offrit à Norma Shearer des morceaux de peau prélevés sur son propre corps.

Comme dans tout culte le fidèle aimerait que son dieu l'écoute et lui réponde. Le courrier apporte aux stars confidences multiples, secrets sentimentaux, familiaux, professionnels. Certains correspondants reprennent chaque semaine la confession interrompue et livrent ainsi leur vie, par tranches hebdomadaires, à la magnanime attention de la star.

La star doit envoyer en retour consolation ou conseil, voire aide et protection. Certains demandent aux stars, qu'ils ont vues si généreuses sur l'écran, du travail, de l'argent, des vêtements usagés.

C'est ici que la star se confond avec son image d'écran et la transcende : en intégrant à soi les vertus morales des héros de film, elle devient analogue aux saints tutélaires, aux anges gardiens. « Joan Crawford est ma bonne étoile, je la sens près de moi pareille à une déesse dans mes heures les plus sombres. » (Lettre de jeune fille citée par Curt Riess, *Hollywood inconnu*, p. 105.)

Aussi la consulte-t-on sur tous les problèmes, ordinaires ou extraordinaires, et ses réponses guident les croyants sur les sentiers épineux de la vie. Le courrier de Luis Mariano nous révélait un éminent guide spirituel qui sait allier le

conseil concret, hygiénique ou alimentaire, à l'objurgation
morale et au précepte métaphysique :

« *Cellou* : Si j'ai pu, sans le savoir, alléger quelque peu
votre peine, j'en suis heureux. Mais j'aimerais que vous
puissiez assagir un peu ce sentiment trop violent et n'avoir
pour moi que l'amitié fraternelle que je ressens à votre
égard. Bon courage et cherchez mieux... Le bonheur est
partout et il attend sagement au rendez-vous de chacune
de nos heures. Vous ne le trouverez jamais dans les images
et dans les illusions. » (*Cinémonde*, 17-12-1954.)

« *André Rodrigue* : La seule façon de devenir un bon chanteur, c'est de beaucoup travailler, avec de bons maîtres. »
(*Ibid.*, 21-12-1954).

« *Mme Nguyen Dinh-Thoi* : Je ne sais trop que vous conseiller : seule, vous pouvez décider avec votre mari, de
votre retour éventuel en Indochine. En ce qui concerne les
leçons de solfège, il est toujours bon que les enfants prennent de bonne heure contact avec la musique qui leur appor-
tera plus tard, même s'ils ne s'en servent pas, professionnel-
lement, joies et consolations. » (*Ibid.*, 11-2-1955.)

« Et je suis persuadé que vous pouvez écrire des contes,
même des nouvelles. Les romans, ce sera pour plus tard. En
tout cas, j'attends votre première œuvre. Écrivez encore. »
(*Ibid.*, 3-12-1954.)

« Je conseille à une jeune fille de ne pas faire de cinéma...
car vous êtes plus de mille jeunes filles par mois, en France,
à avoir la même idée, et le cinéma n'est pas un métier facile. »
(*Ibid.*, 11-2-1953.)

« *Liliane Troarn* - Vous dites bien, jeune petite sœur, le

métier d'acteur est bien difficile; cependant, ne vous découragez pas et dans quelques années nous en reparlerons sérieusement. » (*Ibid.*, 3-12-1954.)

« *André Donald* - Vous aussi, vous voulez faire du cinéma... Suivez un moment les courriers de vedettes, puis faites un saut jusqu'aux portes des studios... et vous verrez. Ce n'est pas si facile que cela. Cependant, avec beaucoup de volonté et un peu de talent, vous devez arriver. Suivez d'abord des cours d'art dramatique, et également des cours de diction, c'est indispensable. » (*Ibid.*, 18-3-1955.)

La star émet à l'occasion quelques pensées sur la nature humaine :

« Je n'ai pas de préférences; pour moi une femme doit être sentimentale, jolie sans trop d'affectation, simple, aimant les enfants, la cuisine et surtout être nette... pour ne pas dire propre... comme vous me le signalez si bien. » (Luis Mariano, *ibid.*, 10-5-1955.)

« Pourquoi ne pas choisir une profession moins dangereuse? Pour une femme une certaine féminité est encore indispensable, croyez-moi. Les hommes regardent les femmes fortes; mais, en général, épousent les femmes-enfants. » (*Ibid.*)

« Je termine en vous recommandant de ne pas confondre franchise et politesse. » (*Ibid.*, 6-4-1955.)

« Il faut vivre avec son temps. » (*Ibid.*)

« Pourquoi il ne faut pas confondre le dessin avec le génie spontané? Bien sûr, vous devez, après deux années d'école

ou de cours, vous ''défendre'' comme les autres dans une
belle carrière, la peinture demande quelquefois des dons...
le dessin demande du métier, de la patience et du goût. »
(*Ibid.*, 11-2-1955.)

« Oui, il faut dans la vie de la volonté, ce que certains
faibles dénomment de l'entêtement.

Quant au régime alimentaire, si vous ne mangez qu'une
nourriture saine, bien préparée, vous n'avez rien à craindre. » (*Ibid.*, 24-12-1954.)

La star connaît le secret des grandes consolations :

« *Josette de Marseille* : Chère enfant du beau pays du
soleil, ne soyez pas triste! Bien sûr, il reste encore des livres...
de mes livres; écrivez-moi et je vous répondrai à ce sujet.
Naturellement, je puis vous les dédicacer; actuellement,
c'est plus facile car je suis à Paris, et, bien que je sois très
occupé, je vous réserverai quelques minutes. Etes-vous
contente? » (Luis Mariano, *ibid.*, 8-12-1855.)

Suprême conseil : la star recommande à ses adorateurs
de ne pas trop l'adorer :

« *Paris-Madrid* - Pourquoi pas un monument en marbre
et en or à mon effigie, dressé sur la place de la Concorde?
Allons, ne soyez pas déçue, mais mes amies et mes amis du
club ont mieux à faire que de se cotiser pour m'élever une
statue. Trouvez une autre idée et sans rancune. » (Luis
Mariano, *ibid.*, 25-3-1955.)

« Regardez autour de vous et réfléchissez; sortez, vivez
que diable! — ce slogan n'est pas de moi. Ne faites pas
comme certaines filles : ne regardez pas tous les garçons

avec dégoût ou avec amour. Le jour où vous serez vraiment ''amoureuse'', vous ne vous en douterez que par l'absence de l'être auquel vous ne songiez même pas... Ce garçon au regard si doux, ce camarade de bureau si prévenant et si loin de vos pensées ? Croyez-moi, comme son nom l'indique, le coup de foudre ne dure pas. Et c'est long par instants une vie. » (*Ibid.*, 18-2-1955.)

« *Une larme dans le cœur* - (ça, c'est trop triste...) 1. Pourquoi pas ? 2. Oui, on dit que Dieu fait souffrir ceux qu'il aime ; alors consolez-vous, vous serez récompensée de vos épreuves, d'autant plus que je les crois imaginaires. Vous comprendrez plus tard, hélas ! que la vraie souffrance c'est autre chose que cette mélancolie dont vous vous délectez parce que vous avez trop de temps à lui consacrer... Faites n'importe quoi : du travail, du sport, de la charité, mais ne pensez plus à ce ''rêve irréalisable''. » (*Ibid.*, 11-9-1953.)

Aux déclarations enflammées, Luis Mariano répondait en grand frère :

« Sans rancune et un gros baiser de votre nouveau grand frère. » (*Ibid.*, 6-4-1955.)

« Écrivez-moi encore, et je vous embrasse comme un grand frère, que je suis — sans doute — et à bientôt. » (*Ibid.*, 18-2-1955.)

Mais cette sincérité amicale ne fait qu'accroître le prestige mythique de la star : son noble désintéressement, son amitié fraternelle, son exquise simplicité témoignent de sa profonde humanité, de sa grandeur d'âme.

La modestie, toujours, concourt au mythe de la grandeur.

La star est donc comme un saint patron à qui le fidèle se voue, mais qui doit, lui aussi, dans une certaine mesure, se vouer au fidèle.

Bien plus, le fidèle veut toujours consommer son dieu. Depuis les repas cannibales où l'on mange l'ancêtre et les repas totémiques où l'on mange l'animal sacré, jusqu'aux communions, et eucharisties religieuses, tout dieu est fait pour être mangé c'est-à-dire incorporé, assimilé. La première assimilation est de connaissance. Le *fan* veut tout savoir, c'est-à-dire posséder, manipuler et digérer mentalement l'image totale de l'idole. La connaissance est ici moyen d'appropriation magique. Elle ne tend pas à constituer un savoir analytique ou synthétique de la star, mais à happer potins, échos, indiscrétions dans une délectable inglutition.

D'où l'énorme quantité de *potins* hollywoodiens ou autres. Ces potins ne sont pas les sous-produits, mais le plancton nourricier du *star system*. Les journalistes de cinéma s'intéressent plus aux vedettes qu'aux films et plus aux ragots sur les vedettes qu'aux vedettes. Ils flairent, détectent, kidnappent l'écho, et au besoin l'inventent. Les informations et potins n'ont pas seulement pour fonction de transformer la vie réelle en mythe et le mythe en réalité, ils doivent tout dévoiler et tout offrir à une inassouvissable curiosité.

Soins de beauté, toilettes, cosmétiques, goûts alimentaires ou esthétiques, déplacements, mobilier, animaux, précisions intimes sont matière à potins. Aussi sommes-nous gratifiés d'articles comme :

Pourquoi j'aime les pommes frites par Ginger Rogers.
On doit forcer son mari à se raser, par Heddy Lamarr.

Le cuir chevelu de Luis Mariano n'a plus rien de secret : « Je me suis fait couper les cheveux pour qu'ils se fortifient. » (*Cinémonde*, 11-2-1955.)

« Non, je ne me sers d'aucune brillantine, mais je soigne très régulièrement ma chevelure, et dernièrement j'ai fait couper mes cheveux très courts pour les fortifier. » (*Ibid.*, 24-12-1954.)

Ses préférences esthétiques nous sont, elles aussi, révélées :

« J'aime toute couleur de cheveux, les filles de la campagne sont gaies et belles. » (*Ibid.*, 3-12-1954.)

« Mes lectures préférées... actuellement, j'ai repris avec plaisir les œuvres de Julien Green, Jean Giono, et de Montherlant... quand je trouve une minute dans un train, un bateau ou un avion. » (*Ibid.*, 3-12-1954.)

Toute information chuchote un petit secret qui permettra au lecteur de prendre possession d'une parcelle d'intimité de la star. Cette parcelle d'intimité, chacun pourra éventuellement l'incorporer à soi en adoptant coiffures, fards et toilettes et en assimilant la matière assimilable par excellence, la nourriture de la star. D'où l'importance dans les confidences, indiscrétions et interviews, de ce que les sans-dieu considèrent comme méprisables détails.

Comme tout culte spontané et naïf mais entretenu par ceux qui en profitent, le culte des stars s'épanouit en fétichisme. L'amour impuissant veut se fixer sur un fragment, un symbole de l'être aimé, à défaut de sa présence réelle.

Le potin répond à un besoin de connaissance fétichiste : le poids de la star, son plat favori, la marque de ses caleçons, son tour de poitrine, sont des porteurs de présence, dotés de la précision et de l'objectivité du réel à défaut du réel lui-même. Le même besoin se fixe concrètement sur les photographies, présences-fétiches universelles du XXe siècle. La photo est le meilleur ersatz de la présence réelle :

alter ego permanent, petite présence de poche ou d'appartement, radieuse et tutélaire, nous pouvons la contempler et l'adorer. Aussi 90 % environ des lettres d'admirateurs demandent une photographie. Les petits commerces autour du culte sont avant tout des commerces photographiques. Les photos s'accumulent, s'échangent. Les photos se gardent, se regardent. Que ne dit-on pas aux photos ? Que ne nous disent-elles pas ? L'autographe complète la photo d'une empreinte personnelle directe, concrète. 90 % de lettres réclament également des autographes ou plutôt la photo accompagnée d'un mot autographe par lequel la star exprime sa tutélaire bienveillance, « toute son amitié », « toute sa sympathie », « toute sa cordialité ».

L'autographe ne s'inscrit pas seulement sur une feuille de carnet. « A la première d'*Anna and the king of Siam*, deux jeunes filles de 17 à 18 ans rompirent le barrage, se précipitèrent sur Van Johnson, relevèrent leur jupe pardessus la tête et demandèrent à leur idole d'autographier leur gaine. » (Jules Roy, *Hollywood en pantoufles*, p. 80.)

Photographies et autographes sont les deux fétiches clés. A quoi s'ajoutent les coupures de presse collectionnées (matérialisation du fétiche potinesque), les mouchoirs, mèches de cheveux, etc. Après la sortie du film de Dorothy Lamour, le Paramount reçut en quelques jours plus de 6 000 lettres demandant une mèche de cheveux de la star (*Motion Picture Herald*, 5-10-1940). Peuvent devenir fétiches enfin tous les objets possibles et imaginables que le contact de la star a radio-activés : mégots, boutons, chewing-gum mâché, brin d'herbe sanctifié par le pied de la star, lacet de soulier, fragments de tissus.

Leo Rosten a catalogué quelques-unes des demandes et offres fétichistes, adressées à deux stars d'Hollywood en janvier 1939 :

Savonnette

Morceau de fourrure

Papier à essuyer le rouge à lèvres

Banjo

Cuiller

Poivrière et salière

Un morceau de chewing-gum que vous avez mâché

Bicyclette

3 cheveux

Épingles à cheveux

Chaussure ou bas

Bracelet-montre

Perles

Robe, chaussure et chapeau

Mouchoirs

Offre d'hypothéquer sa vie ou ses services contre de l'argent

Télégrammes à un cousin pour un anniversaire

Couvercle de boîte d'allumettes

Casque d'aviateur

Une partie de votre queue de cheval ou boucle de cheveux

Un ordre d'achat en blanc de trois pages pour un grand magasin

Offre de dire des prières

Mégots

Photographies de la star

11 pages de « I love you » écrit 825 fois

Un bouton de manteau

« Attendez-moi »

Une puce apprivoisée du nom de la star

1 million de dollars en billets de cinéma

Une paire de caleçons avec autographe

Bouton de col

Offre de prendre la place du chien de la star

Brin d'herbe de la pelouse de la star

Comme les peuples archaïques envers le dieu qui n'a pas exaucé leurs vœux, les *fans* accablent de reproches les stars qui ont failli à leur devoir de répondre, conseiller, consoler.

Une lettre adressée à Robert Taylor a si exemplairement formulé cette révolte frémissante de l'adorateur qu'un magazine l'a publiée en lui décernant un prix de un dollar :

« Je trouve que tu devrais donner plus d'attention aux lettres que t'adressent tes admirateurs. Si tu négliges de le faire, tu vas perdre un bon nombre de tes admirateurs.

Lorsque je t'ai vu pour la première fois dans un film, je
t'ai envoyé une lettre. Je n'ai jamais reçu de réponse. Je
t'ai écrit en tout trois lettres auxquelles il ne m'a jamais
été répondu. A l'occasion de ton anniversaire, je t'ai adressé
une jolie carte de fête, dont tu ne m'as jamais remercié.
Trouves-tu que ce soit bien de traiter ses admirateurs d'une
telle façon? Mets-toi à ma place et représente-toi quels
sentiments on peut éprouver quand on ne reçoit jamais
de nouvelles de quelqu'un qu'on aime bien. » (Cité par
Curt Riess, dans *Hollywood inconnu*, p. 105.)

Le fidèle peut protester quand son idole attente à sa
propre image. Ainsi les *fans* de Bing Crosby se plaignent
de le voir ivre dans un de ses films. Ceux de Jean-Claude
Pascal ne peuvent admettre qu'il devienne blond, et Jean-
Claude Pascal redevient brun. Dans ce cadre, les problèmes
de la moustache sont évidemment des plus aigus et soulèvent
des polémiques passionnées. Dick Powell ou Luis Mariano
doivent-ils ou non porter la moustache? La vedette ne peut
trancher seule une aussi épineuse question et confie le ver-
dict à ses admirateurs :

« Alors, vraiment vous me préférez avec la moustache?
Je suis justement en train de faire un référendum... pour ou
contre... » (Luis Mariano, *Cinémonde*.)

Les fidèles contrôlent la moustache et la chevelure de
leur idole. Chacun aimerait certes tout contrôler, et tout
seul. Seuls les tout jeunes et les tout fous osent exprimer
ce rêve :

« J'ai 13 ans et je voudrais vous épouser », écrit-on à
l'âge des illusions. (Courrier de Luis Mariano, *Cinémonde*,
25-2-1955). Les illusions tombées, on ne demande plus

qu'une effigie en bronze. Exceptionnel est le cas de cet Irlandais qui caressait encore à 28 ans l'espoir d'aller à Hollywood épouser Deanna Durbin (J. P. Mayer, *Sociology of film*, p. 181).

Si les fidèles ne peuvent s'empêcher parfois de révéler leur rêve intérieur, ils le savent impossible. Comme conclut philosophiquement Luis Mariano : « Rêvez, je ne suis en somme pour vous que le successeur de votre ours en peluche. »

Le culte des stars dévoile son sens le plus profond à certains moments d'hystérie collective, comme ceux suscités par la mort de Valentino, ou celle de James Dean, l'arrivée de Lollobrigida à Cannes, ou celle de Sophia Loren à Paris, et autres événements révolutionnaires. Dekekeuleire cite ces Bruxellois qui en 1928 « embrassaient les pneus de la voiture d'Henri Garat », ce qui évoque la sortie annuelle du char sacré à Bénarès, (*le Cinéma et la Pensée*, p. 50). Il arrive qu'à Hollywood, une nuée de girls se rue sur une vedette, la décoiffe, déchire son imperméable ou sa robe avec frénésie.

Nous pouvons maintenant dégager un des traits fondamentaux du culte des stars. Fétichistes, mentales, mystiques, l'appropriation, l'assimilation et la dévoration sont des modes divers d'identification.

Comme tout spectacle et plus vivement encore, le spectacle de cinéma implique un processus d'identification psychique entre le spectateur et l'action représentée. Le spectateur vit psychiquement la vie imaginaire, intense, valeureuse, amoureuse des héros de films, c'est-à-dire s'identifie à eux.

Cette identification s'ouvre sur deux directions : la pre-

mière est la projection-identification amoureuse qui s'adresse
à un partenaire de l'autre sexe, Rudolf Valentino, Bing
Crosby, Luis Mariano, pour les femmes, Greta Garbo, Lucia
Bose, Grace Kelly, pour les hommes. La seconde, la plus
répandue aujourd'hui, est une identification qui concerne
un *alter ego*, c'est-à-dire une star du même sexe et du même
âge. Comme le révèlent toutes les enquêtes faites à ce sujet,
les garçons tendent à préférer les stars masculines, les filles
les stars féminines [1]. L'âge des adorateurs est souvent fonction de celui des stars. Leo Rosten note que *les lettres adressées à une jeune étoile proviennent en grande majorité de
jeunes gens, alors que les fans plus âgés écrivent aux stars
« middle aged »*. Enfin, les préférences régionalistes (Fernandel à Marseille, les acteurs de westerns dans les montagnes
Rocheuses) nous révèlent à leur tour que les identités non
seulement de sexe, d'âge, mais aussi d'origine permettent,
accélèrent ou amplifient les processus d'identification personnelle. Les admirateurs des stars sont du reste très souvent conscients de ce processus :

Pourquoi préférez-vous cette star ?

Identification	35
Affinité, sympathie	27
Les acteurs de ce sexe jouent mieux	22
Idéalisation, idolâtrie	10
Admiration des manières, du style	4

(Leo Handel, *op. cit.*, p. 142).

1. Cf. T.E. Sullenger, « Modern Youth and the Movies », in *School
and Society*, 1930-32, p. 459-61, enquête portant sur 3 295 élèves de
« High School ». *Gallup* publié par *Time Magazine* le 21.7.1941. Résul-
tats de *The Bernstein Children's film questionnary*, London 1947. Enquête du Motion Picture Research Bureau in Leo Handel, *Hollywood
Looks at its audience*, p. 147, où 65 % des répondants préfèrent les stars
de leur propre sexe.

L'identification née dans la salle de cinéma, peut se poursuivre oniriquement hors du spectacle : « J'ai toujours imaginé des histoires (avec moi-même dans le rôle de l'héroïne) à partir de films et de héros que j'aimais. (Écolière anglaise de 15 ans, cité dans J. P. Mayer, *British Cinemas and their audiences*.)

« Quand je rentrais à la maison, je rêvais que j'étais la belle héroïne, en magnifique crinoline, avec une plume dans les cheveux. » (Apprentie coiffeuse de 16 ans 1/2, *ibid.*)

Mais ce rêve se confronte et se heurte à la réalité. Le spectateur se sent très petit et très seul, et voit la star très grande et majestueuse. Il devient adorateur de ce qu'il aimerait être. Selon le type de la star, comme nous le verrons plus loin, l'adorateur peut se sentir si humble qu'il n'ose même plus s'identifier. Il peut aussi vouloir continuer son rêve et cherche alors des supports mystiques à l'identification : autographes, photos, fétiches, potins, ersatzs de présence réelle, sujets de présence mythique, sont autant de moyens extérieurs pour vivre mystiquement de l'intérieur la vie des stars. La magie sympathique entre en action, soit totalement onirique, soit onirico-pratique : dans ce cas, l'adorateur va imiter, inconsciemment ou consciemment, quelque chose de l'idole.

Au mimétisme onirique total (rêve où l'on s'identifie à la star) correspond alors un mimétisme pratique atrophié : on suit le régime alimentaire et corporel de la star. On adopte ses fards et ses cosmétiques. On imite sa toilette, ses manières, ses tics.

« Je me coiffais comme elle... Je me demandais ce que Deanna aurait fait à ma place. » (Lettre citée.)

« A 17 ans, j'avais vu une star dont le garçon qui m'accompagnait dit : elle a les plus jolis pieds du monde et ses chaussures sont toujours splendides. J'avais un joli pied et je décidai qu'on en dirait autant de moi. Je ne sais pas si c'est ça, mais j'ai toujours acheté les plus jolis bas et chaussures que je pouvais, même en temps de restriction. » (Secrétaire anglaise de 39 ans, dans J. P. Mayer, *British Cinemas and their audiences.*)

« Je me souviens avoir copié le style d'un vêtement porté par Myrna Loy dans un film, et de m'être sentie très " Hollywood" en le portant » (Dactylo de 23 ans, *ibid.*)

« Je me suis toujours intéressée aux scènes d'amour et j'ai toujours relevé quelques trucs (que j'employais par la suite), tels : tripoter les cheveux de mon amoureux, lui caresser le visage comme je l'avais vu faire par mes acteurs préférés. Une des premières choses que je remarquai est qu'une actrice ferme toujours les yeux quand on l'embrasse, et je n'ai pas besoin d'ajouter que je copiais ça aussi. » (Jeune fille 19 ans, *ibid.*)

La publicité cinématographique organisa même parfois de grands concours d'identification : concours Hélène de Troie (identification à Rossana Podesta), concours Roméo et Juliette.

La religion des stars est précisément une pratique imaginaire qui permet la dialectique identificatrice du *fan* et de la star. Le même culte embrasse les amours adorantes de caractère hétérosexuel et les adorations amoureuses de caractère homosexuel. C'est que les uns et les autres impliquent la même transformation de la star en alter ego de son admirateur, de l'admirateur en alter ego de la star. C'est que de même que tout amour de soi s'exalte à travers l'amour d'autrui, tout amour d'autrui, dans notre civilisation individualiste où l'amour est aussi égoïsme, implique un amour de soi. Le même mot d'amour, avons-nous vu, intervient pour les deux formes d'adoration. C'est très naturellement qu'un écolier de 15 ans écrit : « Mon idole est Errol Flynn; et je tombai violemment amoureux de lui après *la Patrouille de l'aube*. Je pense à lui la nuit, m'imagine être avec lui et rêve de lui. Je n'ai jamais éprouvé cela pour une actrice. »

La participation n'est pas seulement identification du spectateur au héros. En dernière analyse, ce n'est ni le talent ni l'absence de talent, ni même l'industrie cinématographique ou la publicité, c'est le besoin qu'on a d'elle qui crée la star. C'est la misère du besoin, c'est la vie morne et anonyme qui voudrait s'élargir aux dimensions de la vie de cinéma. La vie imaginaire d'écran est le produit de ce besoin réel. La star est la projection de ce besoin.

L'homme a toujours projeté sur des images ses désirs et ses craintes. Il a toujours projeté dans sa propre image — son double — le besoin de se dépasser lui-même dans la vie et dans la mort. Ce double est détenteur de puissances magiques latentes; tout double est un dieu virtuel.

Les choses et les personnes de l'univers de l'écran sont des images, des doubles. L'acteur se dédouble dans son rôle de héros. La projection du spectateur sur le héros correspond à un mouvement de dédoublement. Ces triples dédoublements, si l'on peut dire, favorisent la fermentation mythique. Leur conjugaison fait épanouir la star en investissant l'acteur réel de potentialités magiques. Par-delà l'image, les projections mythiques se fixent sur la personne concrète et charnelle : la star. Bien entendu, investie par son double, elle l'investit à son tour. La star est immergée dans le miroir des rêves, et émergée à la réalité tangible. Dans les deux sens, *elle n'est telle que par les puissances de projection qui la divi-*

nisent. C'est lorsque la *projection* mythique se fixe sur sa double nature et l'unifie que s'accomplit la star-déesse. Mais cette déesse doit être consommée, assimilée, intégrée : le culte s'organise aux fins de cette *identification.* La star est le fruit d'un complexe de projection-identification d'une particulière virulence.

Le film, machine à dédoubler la vie, appelle les mythes héroïques et amoureux qui s'incarnent sur l'écran, remet en marche les vieux processus imaginaires d'identification et de projection d'où naissent les dieux. La religion des stars cristallise la projection-identification inhérente à la participation au film.

Selon la virulence, soit de la projection, soit de l'identification, deux grands types de dieux peuvent être distingués, les dieux pères et les dieux fils, ou héros, ou demi-dieux. Le « père » est une projection à ce point distante et grandiose des terreurs et des ambitions humaines que ses fidèles n'osent s'identifier à lui, sinon dans le plus secret du rêve. Le culte des grands dieux transcendants ne comporte que de très faibles pratiques d'identification. Par contre le héros bâtard de dieu, le fils de l'homme, est le sujet même de l'identification vécue; il apporte le salut aux humains; c'est-à-dire les moyens d'accéder à la condition des dieux : l'immortalité. Il faut et il suffit que le fidèle imite la passion du héros-dieu, en vive mystiquement le sacrifice pour qu'il puisse acquérir l'immortalité divine.

Le *star system* connaît, ou plutôt a historiquement connu, mutatis mutandis, ces deux étages de l'adoration. Au niveau suprême, inaccessible, la star « divine ». L'adoration n'appelle encore nul mimétisme, soit que la star se maintienne inaltérablement distante, soit plus simplement que le fidèle se sente trop humble pour espérer pouvoir l'imiter. Comme le dit une secrétaire déjà citée : « J'admirais Norma Talmadge, Mary Pickford et je pensais beaucoup à elles, mais je n'ai

jamais souhaité leur ressembler ou faire ce qu'elles faisaient. »

Mais, le plus souvent, la star se tient au niveau du héros
divinisé, que l'on peut identifier à soi, à qui l'on peut s'identifier, et qui contribue au salut personnel de chaque fidèle.

Certes, pour la plus grande masse des spectateurs, la divinité de la star est embryonnaire. Des dilections particulières, des émotions, des rêveries, des sentiments tendres et
admiratifs amorcent déjà toutefois une certaine religiosité.
Si le sentiment n'est pas encore la religion, il constitue son
bouillon de culture. C'est en effet là où le sentiment fermente avec candeur et ferveur — chez les adolescents et
chez les femmes — que la divinité de la star s'épanouit.

Selon Leo Rosten et Margaret Thorp, 75 à 90 % des fans
ont moins de 21 ans, 80 % environ sont du sexe féminin,
quel que soit le sexe de la star.

La prépondérance féminine donne au *star system* un
caractère féminin. La « mythification » s'effectue avant tout
sur les stars féminines : ce sont les plus fabriquées, les plus
idéalisées, les moins réelles, les plus adorées. La femme
est un sujet et un objet plus mythique que l'homme, dans
les conditions sociales actuelles. Elle est naturellement
plus star que l'homme. C'est pourquoi nos descriptions
de la star ont été le plus souvent effectuées au féminin. Nous
avons naturellement féminisé la star, mot lui-même féminin.

Les stars féminines sont l'objet de l'attirance masculine
et du culte féminin. Les stars masculines sont l'objet du
culte féminin. Cela ne signifie pas que les hommes se désin-
téressent des stars mâles. Les enquêtes citées (Motion Picture Research Bureau, Gallup 1941) révèlent que la préférence pour les stars de son propre sexe est plus prononcée
chez l'homme que chez la femme. Mais, plus nombreuses,
les identifications masculines sont moins mystiques. La star,

pour l'homme, est moins un archétype sacré qu'un *modèle*
profane : il imite la star masculine mais ne veut pas le savoir.
Il la préfère mais sans la révérer.

L'amour et l'admiration pour les stars ne se concrétisent
donc en religion que pour une partie du public. Cette religion est fragile, soumise aux agents de désagrégation. Vient
le moment où la star vieillit et meurt. Vient le moment où
le *fan* vieillit lui aussi : la vie réelle érode l'admiration,
l'amoureux ou l'amoureuse réels vont se substituer à la
star. La divinité de la star est éphémère. Le temps la ronge.
Elle ne s'échappe du temps que dans l'au-delà des souve-
nirs... La mort est plus forte que l'immortalité. *Mais cette*
fragilité même nous révèle la force du sentiment religieux qui
s'épanouit. La star est divinisée en dépit de son « humanité »
évidente, soumise aux outrages du temps, en dépit de la
conscience esthétique du spectateur qui sait que la star joue
un rôle au cinéma et ne vit pas une passion.

En dépit et en même temps, la star chevauche à la fois
le profane et le sacré, le divin et le réel, l'esthétique et la
magie. Comme les rois. « O rois, vous êtes des dieux »,
s'écriait Bossuet. O stars, vous êtes des reines... L'accession
au trône est déjà une divinisation. Tyrans et empereurs
sont déjà « bienheureux » et « augustes ». La star et le roi
sont des êtres de chair contaminés par leur rôle. La même
mythologie enveloppe leur personne, y pénètre, la détermine. La même confidence publique entoure leur vie privée.
La même vie de luxe, de cérémonie, de spectacle, vie de rêve
réelle, leur est imposée. On les admire sans les envier, on
n'est jaloux des rois ni des stars.

Du reste, le xxᵉ siècle qui « régifie » les stars, « starifie »
les rois. Ceux-ci occupent la même place, le même rôle
que les vedettes de *Paris-Match* et *France-Dimanche*. La
romance de Margaret et Townsend, « film vécu », inspira
aussitôt un film, *Vacances romaines*. Le mariage de Grace

Kelly et de Rainier dans la réalité, *Si Versailles m'était conté* dans la fiction consacrent l'analogie mythique du roi et de la star; chaque roi, chaque prince, chaque personnage illustre se trouvant incarné par une star, Sacha Guitry put reconstituer la grandeur historique de la France.

Le roi tient son prestige du pouvoir politique. La star, elle, naît de l'esthétique, c'est-à-dire non pas de la croyance, mais du jeu. Toutefois, elle se situe en ce point où l'esthétique, dans son élan et sa force de persuasion, se dépasse elle-même pour retrouver la vigueur native de sa source magique. La star est à la frontière de l'esthétique et de la magie. Elle surmonte le scepticisme de la conscience spectatrice, qui sait toujours qu'elle participe à une illusion.

Certes le spectateur sait que la star est humaine et même, très précisément, une actrice qui fait du cinéma; certes les institutions du culte des stars, en dépit de leur caractère mystique évident, demeurent profanes : clubs, magazines, courriers, cadeaux, et non temple, bible, litanies, offrandes, mais tous les processus de la divinisation sont en action sous ces formes laïques et ce sont eux qui caractérisent la star. Tyler Parker a l'expression juste : « dieux anthropomorphes, il ne faut pas prendre le terme à la lettre, mais ce n'est pas non plus une simple façon de parler ».

La star est faite d'une étoffe mixte de vie et de songe. Elle s'incarne dans les archétypes de l'univers romanesque. Mais les héros de romans, ectoplasmiques et inconsistants, s'incarnent eux-mêmes dans l'archétype de la star. Modèle et modelée, extérieure et intérieure au film, le déterminant mais déterminée par lui, personnalité syncrétique où l'on ne peut distinguer la personne réelle, la personne fabriquée par l'usine de rêves et la personne inventée par le spectateur, puissance mythique devenue puissance réelle, puisque capable de modifier films et scénarios et de diriger le destin de ses admirateurs, *la star est bien de même double nature que*

les héros des mythologies, mortels aspirants à l'immortalité,
postulants à la divinité, génies actifs mi-humains mi-dieux.
Pendant le film, ces héros et ces héroïnes luttent, souffrent,
agissent, sauvent. Hors du film, les stars mènent la vie élyséenne de plaisirs et de jeux réservés aux héros après leur
mort.

Héros, demi-dieu. René Clair l'avait déjà dit dans *Adam's*
(p. 50) : « Les hommes de l'âge des lumières saluent les
demi-dieux qu'ils se sont donnés... Les corps sans mesure
des demi-dieux dominent le monde... Amour, il manquait
au monde vieilli des figures adorables... Pour eux les applaudissements mystiques, les regards inspirés par l'amour sur-
naturel. »

Niaiserie sans doute! Niaiserie dont se détourne le grave
regard du sociologue, et voilà pourquoi l'on n'ose étudier
les stars. Mais nos savants manquent de sérieux en refusant
de traiter sérieusement la niaiserie. La niaiserie est *aussi*
ce qu'il y a de plus profond en l'homme. Derrière le *star
system*, il n'y a pas seulement la « stupidité » des *fans*, l'abs-
sence d'invention des cinéastes, les combinaisons commer-
ciales des producteurs. Il y a le cœur du monde. Il y a l'a-
mour, autre niaiserie, autre humanité profonde...

Il y a aussi cette magie que nous croyons réservée aux
« primitifs » et qui est au cœur même de nos vies civilisées.
La vieille magie est toujours là. Chacun de nos villages
est dominé par un clocher. Mais dans les arrière-salles
de cafés de ces villages, dans les granges et les garages de
l'adoration commune, dans les villes, partout où il y a un
écran blanc dans une salle noire, une nouvelle religion s'est
installée. Plus encore, dans chacun de nos cœurs, la religion
de l'amour règne toute-puissante.

Le *star system* tient de la vieille religion d'immortalité
et de la nouvelle, toute-puissante, religion à l'échelle mortelle : l'amour.

L'Europe du rationalisme, l'Amérique de la rationalisation, religieuses, amoureuses, brandissent leurs gigantesques poupées de carnaval, leurs stars. Attendons les nouveaux savants qui sauront faire l'ethnographie des sociétés non primitives. A votre tour, Africains, Océaniens, Amérindiens, objets et victimes et l'ethnographie! Et ne soyez ni dédaigneux, ni collectionneurs comme nous l'avons été à votre égard.

Les stars sont comme les dieux : tout et rien. La substance divine qui gorge ce rien est l'amour des humains. Le vide infini du dieu est aussi richesse infinie, mais cette richesse n'est pas sienne. La star est vide de toute divinité comme les dieux. La star est riche de toute l'humanité comme les dieux.

La star-marchandise

La star est déesse. Le public la fait telle. Mais le *star system* la prépare, l'apprête, la façonne, la propose, la fabrique. La star répond à un besoin affectif ou mythique que ne crée pas le *star system*. Mais sans le *star system*, ce besoin ne trouverait pas ses formes, ses supports, ses aphrodisiaques.

Le *star system* est une institution spécifique du grand capitalisme. Avant la période d'« héroïfication » stalinienne, le cinéma soviétique avait tenté de faire table rase, non seulement de la star, mais même de l'acteur vedette. Depuis, de grands acteurs de composition, communs au théâtre et au cinéma, tiennent en général la vedette. Leur prestige certes déborde l'écran : mais il a été jusqu'à présent canalisé et exalté vers la politique. Le génie de la vedette soviétique, comme celui de tout dépasseur de normes, stakhanoviste, coureur à pied, danseuse étoile, écrivain éminent, sert à prouver l'excellence du système stalinien et témoigne d'un mérite politique digne éventuellement d'être consacré par la députation au Soviet suprême. Une certaine forme de stars pourrait naître éventuellement en U.R.S.S. pour satisfaire des besoins imaginaires actuellement rationnés. Tout cinéma qui, dans le monde contemporain se situe soit en dehors, soit en marge, soit en lutte contre le grand capitalisme, soit même à un niveau capitaliste sous-développé, ne connaît pas la *star*, au sens où nous l'entendons.

La tendance du « cinéma-vérité » dans ses développements « documentaristes » ou « néo-réalistes », depuis le *Nanouk* de Flaherty jusqu'au *Toni* de Renoir et *la Terra Trema* de Visconti, élimine radicalement la star et éventuellement l'acteur professionnel. Elle est précisément la tendance fondamentale du cinéma indépendant des trusts ou en rébellion contre eux.

Au palier inférieur de la production capitaliste, les productions à bon marché sont matériellement contraintes de se passer de ce luxe qu'est la star (films de série B aux États-Unis, films de moins de 50 millions en France).

Du reste, le cinéma ignoraït la star en son premier stade industriel et commercial. La star est née en 1910 de la concurrence acharnée des premières firmes cinématographiques aux États-Unis. La star s'est développée en même temps que la concentration du capital au sein de l'industrie des films, ces deux développements s'accélérant mutuellement. Progressivement, les grandes stars sont devenues l'apanage et la propriété des grandes firmes, comme elles sont devenues l'apanage et le centre de gravité des grands films.

Progressivement, s'est constitué le *star system*. Le *star system* n'est pas tant une conséquence qu'un élément spécifique de ces développements. Ses caractères internes sont ceux mêmes du grand capitalisme industriel, marchand et financier. Le *star system* est d'abord *fabrication*. Ce mot est spontanément utilisé par Carl Laemmle, l'inventeur des stars : « La fabrication des stars est chose primordiale dans l'industrie du film. » Nous avons indiqué plus haut qu'une véritable chaîne manufacturière happe les belles filles détectées par le *talent-scout*, rationalise, standardise, trie, élimine les pièces défectueuses, sertit, assemble, façonne, polit, enjolive, starifie en un mot. Le produit manufacturé subit les derniers essais, on le rode, on le lance. Qu'il triomphe sur le marché, et il demeure encore sous le contrôle de la manufacture : la vie privée de la star est préfabriquée, rationnellement organisée.

Entre-temps, le produit manufacturé est devenu marchandise. La star a son prix, ce qui est naturel, et ce prix suit régulièrement les variations de l'offre et de la demande, celle-ci régulièrement appréciée par le box-office et le *Fan Mail Department*. De plus comme le dit Baechlin, « la façon de vivre d'une star est elle-même marchandise [1] ». La vie privée-publique des stars est toujours douée d'une efficacité commerciale, c'est-à-dire publicitaire. Ajoutons que la star n'est pas seulement sujet, mais objet de publicité : elle patronne parfums, savons, cigarettes, etc. et multiplie par là son utilité marchande.

La star est une marchandise totale : pas un centimètre de son corps, pas une fibre de son âme, pas un souvenir de sa vie qui ne puisse être jeté sur le marché.

Cette marchandise totale a d'autres vertus : elle est la marchandise type du grand capitalisme : les énormes investissements, les techniques industrielles de rationalisation et de standardisation du système font effectivement de la star une marchandise destinée à la consommation des masses. La star a toutes les vertus du produit de *série* adopté au marché mondial, comme le chewing-gum, le Frigidaire, la lessive, le rasoir, etc. La diffusion massive est assurée par les plus grands multiplicateurs du monde moderne : presse, radio et film, évidemment.

En outre, la star-marchandise ne s'use ni ne dépérit à la consommation. La multiplication de ses images, loin de l'altérer, augmente sa valeur, la rend plus désirable.

Autrement dit, la star demeure originale, rare, unique, lors même qu'elle est partagée. Très précieuse matrice de ses propres images, elle est ainsi une sorte de capital fixe

1. P. Baechlin, *Histoire économique du cinéma*, Paris, la Nouvelle Edition (1947), p. 172.

en même temps qu'une valeur au sens boursier du terme, comme les mines du rio Tinto ou le gisement de Parentis. Du reste, les banques de Wall Street avaient un bureau spécialisé où étaient cotées au jour le jour les jambes de Betty Grable, la poitrine de Jane Russel, la voix de Bing Crosby, les pieds de Fred Astaire. La star est donc à la fois marchandise de série, objet de luxe, et capital source de valeur. Elle est une marchandise-capital. La star est comme l'*or*, matière à ce point précieuse qu'elle se confond avec la notion même de capital, avec la notion même de luxe (bijou) et confère une valeur à la monnaie fiduciaire. L'encaisse-or des caves bancaires a pendant des siècles garanti, comme le disent les économistes, mais surtout imprégné mystiquement le billet de papier. L'encaisse-star d'Hollywood authentifie la pellicule cinématographique. L'or et la star sont deux puissances mythiques, qui attirent vertigineusement et fixent toutes les ambitions humaines.

Microcosme du capitalisme, la star est comparable aux pierreries, aux épices, aux objets rares, aux métaux précieux dont la recherche avait sorti le Moyen Age de son engourdissement économique.

Elle est aussi comme ces produits manufacturés dont le capitalisme, devenu industriel, assure la multiplication massive. Après les matières premières et les marchandises de consommation matérielle, les techniques industrielles devaient s'emparer des rêves et du cœur humain : la grande presse, la radio, le cinéma nous révèlent dès lors la prodigieuse rentabilité du rêve, matière première libre et plastique comme le vent qu'il suffit de former et de standardiser pour qu'il réponde aux archétypes fondamentaux de l'imaginaire. Le standard devait un jour se rencontrer avec l'archétype. Les dieux devaient un jour être fabriqués. Les mythes devaient devenir marchandise. L'esprit humain devait entrer dans le circuit de la production industrielle, non plus seule-

ment comme ingénieur, mais comme consommateur et
consommé.

Pain des rêves, dira-t-on. Mais à la différence du pain
dont le prix de vente ne peut s'élever qu'à peine au-dessus du
prix de revient, tous les produits dotés de valeur magique
ou mystique sont vendus à des prix qui dépassent de loin
leur coût de production : médicaments, fards, dentifrices,
parures, fétiches, objets d'art, stars enfin.

La star est rare comme l'or et multiple comme le pain.
On conçoit que, née en 1910 de la concurrence des entre-
prises sur le marché du film, elle ait appelé le développement de l'industrie capitaliste du cinéma autant que celui-ci
l'appelait.

De leur essor commun fut conçu et institutionnalisé le
star system, machine à fabriquer, entretenir et exalter les
stars sur lesquelles se fixèrent et s'épanouirent en divinisation les virtualités magiques de l'image d'écran. La star
est un produit spécifique de la civilisation capitaliste, elle
répond en même temps à des besoins anthropologiques pro-
fonds qui s'expriment sur le plan du mythe et de la religion. L'admirable coïncidence du mythe et du capital, de la
déesse et de la marchandise, n'est ni fortuite ni contradic-
toire. Star-déesse et star-marchandise sont les deux faces
de la même réalité : les besoins de l'homme au stade de la
civilisation capitaliste du XXe siècle.

La star et l'acteur

Déesse-objet, la star est certes autre chose qu'une actrice qui fait du cinéma. Mais la star est *aussi* une actrice qui fait du cinéma. L'ethnographie, la psychologie, la sociologie, l'économie du *star system* doivent être complétées ou éclairées par une « filmologie ». C'est dans la mesure où l'acteur de cinéma n'est pas l'acteur de théâtre que la star est possible.

Le jeu de l'acteur de théâtre est déterminé par certaines nécessités pratiques. La distance qui sépare la scène des spectateurs appelle une exagération gestuelle et vocale. Comme dit Dullin, l'acteur de théâtre doit grossir l'émotion. Inversement, alors que « l'acteur de théâtre en général, joue sur le mode majeur, l'acteur de cinéma en général, joue sur le mode mineur » (R. Manwell, *Film*, 1946, p. 78). Il lui faut, dit René Simon, « soustraire au lieu de multiplier ».

Pourtant le film naissant s'engageait de lui-même dans la voie théâtrale, et annexait tous les procédés de l'expression scénique *(Assassinat du duc de Guise)*. Il décuplait même la « théâtralité » de l'acteur. Celui-ci, privé de paroles, s'exprimait dans le langage du mime. Mais progressivement, à partir des années 1915-1920, les corps abandonnent les gesticulations, les visages s'immobilisent (Sessue Hayakawa, A. Menjou, Red La Roque, Eve Francis, Lilian Gish, Norma Talmadge). *Cette déthéâtralisation du jeu de l'acteur, en dépit de l'absence de paroles, va de pair avec le développement*

des techniques de cinéma. Elle est la conséquence de ce déve-
loppement.

Effectivement la mobilité de la caméra, soit au sein d'un
même plan (travelling), soit de plan à plan, et le montage
de plans aux angles de prise de vue différents vont constituer, comme le dit Poudovkine, « l'équivalent le plus vivant
et le plus expressif de la technique de jeu qui oblige un acteur
de théâtre... à théâtraliser l'image extérieure de son personnage » (*Film acting*, p. 150-152). Autrement dit, à l'art
ostentatoire de l'acteur se substitue un art ostentatoire de
la caméra et du montage.

Le plan rapproché, le plan américain, le gros plan détruisent la distance qui sépare au théâtre l'acteur du spectateur
et rendent superflue à leur tour l'ostentation du geste ou
de la mimique. « Un acteur de théâtre, c'est une petite tête
dans une grande salle, un acteur de cinéma une grande tête
dans une petite salle » (Malraux). L'expression de la « grande
tête » supplante l'expression du geste. Elle rend même inutile la mimique du visage : un tressaillement des lèvres, un
battement de cils sont visibles, donc lisibles, donc éloquents.
L'acteur n'a pas besoin d'exagérer son expression. L'image
en gros plan l'exagère.

L'apparition du parlant porte un dernier coup à l'expression mimique que le muet pouvait encore éventuellement
exiger. Certes, les premières voix cinématographiques res-
suscitèrent la théâtralité orale. Les Henri Garat, les Albert
Préjean semblaient parler comme à la cantonade. Mais les
micros de plus en plus sensibles ont permis le ton de la
conversation, le mezzo-voce, le murmure, le chuchotement.
La voix a cessé d'être rituelle, modulée, théâtrale. Edwige
Feuillère remarque que « le défaut le plus généralement
observé chez les acteurs qui de l'écran passent à la scène
est une grande monotonie dans le débit » (*le Cinéma par
ceux qui le font*, p. 161). Ici aussi, le cinéma détruit l'emphase,

c'est-à-dire une part de la technique même de l'acteur.

Le cinéma ne fait pas que « déthéâtraliser » le jeu de l'acteur. Il tend à l'atrophier. L'acteur de théâtre, quoique son jeu ait été déterminé à l'avance au cours des répétitions, est plus ou moins livré à lui-même sur scène. L'acteur de cinéma est constamment dirigé dans les plans dispersés et fragmentaires qu'il tourne. Il suit les marques à la craie de l'opérateur, place sa voix selon les instructions de l'ingénieur du son, mime la mimique du réalisateur. Cette discipline automatise; et, du reste, le réalisateur utilise éventuellement des réflexes pavloviens : la vedette ne réussit-elle pas à pleurer ? Il la gifle. Quelques chatouillements bien placés pourront la faire éclater de rire. Ainsi pourra-t-elle *automatiquement* exprimer le chagrin ou la joie.

Dans ces conditions particulières de morcellement et d'automatisation, le cinéma peut exiger des acteurs supérieurs, capables d'exprimer leur personnage bien que privés du soutien du public, de l'élan que donnent la continuité du jeu et l'unité du rôle. Mais dans un autre sens, le cinéma peut se contenter purement et simplement *d'automates*, dans le sens même où la participation du spectateur est particulièrement active au cinéma.

Toute participation affective est un complexe de projections et d'identifications. Chacun, dans la vie, soit spontanément, soit sur les suggestions d'indices ou de signes, transfère sur autrui des sentiments et des idées qu'il attribue naïvement à cet autrui. Ces processus de projection sont étroitement associés à des processus qui nous identifient plus ou moins fortement, plus ou moins spontanément à autrui. Ces phénomènes de projection-identification sont excités par tout spectacle : une action entraîne d'autant plus librement notre participation psychique que nous sommes spectateurs, c'est-à-dire passifs physiquement. Nous vivons le spectacle d'une façon quasi mystique en nous intégrant mentalement aux personnages et à l'action (projection) et en les intégrant mentalement à nous (identification).

Spectacle parmi les spectacles, le cinéma peut exciter les projections à un point tel que celles-ci donnent expression à ce qui est inexpressif, âme à ce qui est inanimé, vie à ce qui est inerte.

L'expérience de Kuleshov, qui joua un si grand rôle dans la prise de conscience du cinéma par lui-même, démontre que la situation des objets et des personnages à l'intérieur d'un plan isolé suffit pour déterminer, aux yeux du spectateur, une expression sur le visage inexpressif de l'acteur. Kuleshov disposa le même visage de Mosjoukine devant une assiette de soupe, puis une femme morte, puis un bébé rieur, et les spectateurs s'émerveillèrent de l'admirable expression de l'acteur, d'abord plein d'appétit, ensuite abîmé de douleur, enfin illuminé par la joie paternelle.

Autrement dit, la situation donnée et les éléments de cette situation (objets, décor) peuvent jouer un rôle plus grand que l'acteur et exprimer pour lui. Alors qu'au théâtre l'acteur éclaire la situation, c'est, au cinéma, la situation qui éclaire l'acteur. Le décor entre dans la physionomie du personnage alors qu'au théâtre il se borne à localiser et à suggérer.

Alors qu'au théâtre le jeu de l'acteur détermine au premier chef la projection-identification, il peut arriver au cinéma qu'il soit déterminé par elle. Le jeu de l'acteur peut, dès lors, être atrophié ou nul : le personnage ne cessera pas de vivre et d'exprimer.

Ces phénomènes de projection-identification, déjà connus et utilisés dans certaines traditions théâtrales (théâtres de marionnettes, théâtre japonais) sont ici amplifiés d'une manière spécifique.

C'est tout d'abord la nature dédoublée de l'image cinématographique, son caractère de « miroir » ou « reflet » qui détermine un charme particulier. L'image cinématographique suscite par elle-même la participation affective ou projection-identification imaginaire. La situation du spectateur — relaxation esthétique, obscurité, état para-hypnotique — la favorise à son tour.

Au sein de cette situation cinématographique (image dédoublée-relaxation para-hypnotique du spectateur), le film développe l'action imaginaire selon un dynamisme *réel* inconnu jusqu'alors. Meurtres, batailles, chevauchées, toutes les violences de l'amour et de la mort se déchaînent, alors qu'elles ne pouvaient se déployer sur la scène du théâtre où les récits de Théramène étaient leurs truchements. Ce dynamisme du film stimule à son tour la participation affective.

A ce dynamisme de l'action se surajoute un dynamisme interne, le montage. Le montage est un système d'images fragmentaires et discontinues qui s'enchaînent selon un rythme, prennent un sens total et continu *précisément parce que le montage est entièrement fondé sur les mécanismes de projection-identification du spectateur*. Il les implique, les sollicite, en même temps qu'il les accélère et les amplifie. Aussi tous les phénomènes de projection-identification déjà décelables sur un plan isolé (expérience Kuleshov) sont-ils centuplés dans la succession systématique des plans ou montage. Non seulement la situation, mais la chaîne de situations, mais l'action, mais le système filmique éclairent l'acteur, *donnent vie* à l'acteur, jouent pour l'acteur. Dans le montage des actions parallèles, à la crête dynamique de l'action (traître persécutant la jeune captive, sauveteur galopant) le jeu des acteurs n'a plus aucune importance. Le montage peut entièrement se substituer à ce qui, au théâtre, dépendait du jeu de l'acteur pour « passer la rampe ». C'est pourquoi, disent les techniciens du film, un bon montage peut sauver un mauvais acteur d'un échec, et lui faire percer l'écran.

Le montage décuple l'efficacité de l'effet Kuleshov. La projection-identification spectatorielle, éperonnée par le rythme du film (à quoi s'ajoutent la musique, les effets photographiques, les mouvements et positions de la caméra) donne vie et présence non seulement au visage inexpressif de l'acteur mais aux choses sans visage. Comme nous l'avons montré ailleurs [1], la projection se prolonge en anthropomorphisme : les objets, le revolver, le mouchoir, l'arbre, l'automobile non seulement *expriment* des sentiments, mais prennent vie, présence. Ils nous parlent, ils jouent. Réciproquement les visages inexpressifs sont remplis d'un message qui les dépasse : ils s'emplissent de présence cosmique, deviennent paysages. A l'anthropomorphisme des choses répond le cosmomorphisme des visages. Aussi l'acteur n'a-t-il pas besoin de tout exprimer. Il n'a, à la limite, nul besoin d'exprimer : les choses, l'action, le film lui-même se chargent de jouer pour lui.

Le cinéma peut se contenter purement et simplement d'automates, non seulement dans la mesure où le corset de fer du tournage enferme l'acteur dans l'automatisme, non seulement dans la mesure où les effets de projection-identification suscités par l'image d'écran, les contenus dynamiques du film et le système du montage travaillent activement et automatiquement aux lieu et place de l'acteur, mais aussi dans la mesure où les techniques spécifiques, extérieures à l'acteur, *préfabriquent* artificiellement des sentiments qui jusqu'alors semblaient relever uniquement du jeu individuel.

En plus des subterfuges de tournage (fausses larmes à la glycérine), un système de techniques émouvantes et significatives travaille l'acteur comme une matière première (position de la caméra, durée de l'image, photographie).

---

1. *Le Cinéma ou l'Homme imaginaire.*

Les angles de prise de vue sont potentiellement chargés de significations affectives : la contre-plongée exalte un personnage, lui confère grandeur, autorité, puissance, tandis que la plongée le rabougrit et l'humilie.

La vitesse de la caméra en mouvement et la durée de l'image déterminent mécaniquement des émotions que le spectateur croit voir exprimées par un visage. Un travelling-avant rapide fait surgir un visage surpris, anxieux ou terrorisé. Le même visage inexpressif exprimera le sourire, l'indifférence ou la douleur, selon la durée réduite, moyenne ou prolongée de l'image sur l'écran. Aux techniques de la caméra s'ajoutent celles de l'éclairage ou photographie. « Une bonne partie des sentiments qu'il (l'acteur) doit traduire se trouve déjà exprimée dans le jeu des lumières » (L. Page, *op. cit.*, p. 222-223). Le visage dans l'ombre est menaçant; brillamment éclairé, il est gai; éclairé par le bas, il est bestial; éclairé par le haut, il irradie la spiritualité.

Complétant les artifices de la photographie, les artifices du maquillage peuvent transformer la physionomie selon l'expression que requiert chaque plan. Aussi, comme le dit Sadoul de l'émouvant visage de noyée de Michèle Morgan dans *la Symphonie pastorale*, « bien plus que l'œuvre de l'artiste, cette image fut celle du maquilleur et du coiffeur, qui donnèrent au visage un aspect bouleversant, de l'opérateur qui lui donna sa lumière tragique, de la monteuse qui fit durer cette image le temps qu'il fallait, enfin et surtout du réalisateur » (*le Cinéma*, p. 127).

Toutes ces techniques (mouvements de la caméra, choix et durée des plans, photographie et musique) plaquent sur le visage et le geste l'intensité expressive qui peut leur manquer, ou décuplent l'impression qu'éventuellement ils dégagent. Ils peuvent être plus importants pour l'expression que l'expression et bien entendu l'inexpression de l'acteur.

C'est donc le système du cinéma qui tend à désagréger l'acteur. Celui-ci peut même être chassé physiquement de l'écran, n'y laissant qu'une main qui se crispe, un pied qui avance vers un autre pied, un dos tourné, et cette main, ce pied, ce dos tiennent lieu de paroles, de jeu de physionomie, de posture ou de mouvement du corps. Parfois, le corps tout entier est éliminé, et ne subsiste que la voix. La voix de l'acteur, tandis que la caméra fixe autre chose — événement, personnage, objet — non seulement suggère sa présence, mais peut être plus émouvante que cette présence même. Inversement le cinéma peut éliminer purement et simplement la voix de l'acteur, soit en faisant parler les choses et la situation à sa place, soit en la remplaçant par une voix doubleuse plus efficace. *Doublure* et *doublage* témoignent de l'inutilité limite de l'acteur : un autre, un anonyme peut occuper sa place ou s'emparer de sa voix sans que le spectateur en soit incommodé ou s'en rende même compte. L'utilisation constante des doublures et du doublage est donc un test exemplaire et constant de la décomposition moléculaire d'une individualité jusque-là souveraine : celle de l'acteur.

A la limite, le spectateur continue à *voir* l'acteur invisible et à lire dans son visage absent des sentiments qui l'émeuvent. L'anthropo-cosmomorphisme fait jouer des choses pour lui. Celles-ci le remplacent même avantageusement; d'où le mot d'Alexandre Arnoux : « Un grand comédien de l'écran... est celui qui ne se trouve pas écrasé par son chien, son cheval, son browning. » D'où également le mot de Leslie Howard : « On peut se passer des acteurs et les remplacer par n'importe quoi. »

En résumé donc le jeu de l'acteur n'est qu'un des moyens toujours annulables de l'expression cinématographique; par contre, la direction des acteurs (par le metteur en scène) peut constituer l'art essentiel de certains films[1].

Etre acteur n'exige ni apprentissage ni habileté. C'est pourquoi il n'y a pas, dans de nombreux pays, de formation professionnelle des acteurs de cinéma. C'est pourquoi des acteurs de cinéma, et non les moins efficaces, à commencer par les stars, viennent tout simplement de la rue. C'est pourquoi les enfants n'ont même pas besoin de connaître et de vivre leur rôle (« Je ne savais pas que j'avais été aussi malheureuse », s'écrie la petite Paulette Elambert en voyant *la Maternelle*). C'est pourquoi les animaux, le chien Rintintin, le cheval Tarzan, la guenon Chita interprètent avec un naturel parfait les rôles les plus anthropomorphes, c'est-à-dire les plus artificiels.

Sur le plateau, les acteurs sont un peu comme les enfants ou les animaux : de la matière première non spécialisée sous la direction de vrais *techniciens* qui sont les ingénieurs, les mécaniciens, les cameramen, les réalisateurs. Ils peuvent être même réduits à la condition d'objets. « Nous autres vedettes sommes des meubles, meubles de plus ou moins de valeur, plus ou moins authentiques, mais meubles que dispose le metteur en scène » (Jean Chevrier). « Des robots perfectionnés entre les mains d'un metteur en scène » (A. Luguet). Pierre Renoir, Jouvet, Marie Bell, E. Feuillère ont maintes fois déclaré que l'artiste vaut ce que le metteur en scène fait de lui. Moussinac écrit : « L'artiste cinématographique n'est théoriquement que de la matière photographique, intelligente ou stupide selon que l'a choisie l'animateur ayant en vue les fins de son œuvre... la qualité d'expression particulière est pour ainsi dire subordonnée à la qualité d'expression de l'ensemble » *(Naissance du Cinéma)*. Sadoul : « Le réalisateur use parfois de l'acteur

1. Des critiques comme André Bazin ont souligné l'importance accrue de la direction d'acteurs, mais du point de vue de *l'art de la réalisation*.

comme d'un instrument de musique, exigeant seulement
qu'il lui donne... une note juste qui sera plus tard un élément
de la grande symphonie » (*le Cinéma*, p. 132). Delluc néglige
l'acteur parmi les quatre éléments essentiels de l'expression
cinématographique qui sont pour lui le décor, la lumière,
la cadence, le masque. Toujours selon Delluc, le visage
d'acteur (masque) se crée comme un décor. L'acteur tend
donc à être automate, masque, marionnette, ou encore,
comme l'annonçait Moussorgsky « statue qui parle ».

Effectivement les marionnettes de Trnka, les Mickey et
les Donald de Walt Disney sont aussi *vivants* et plus peut-
être que bien des acteurs...

A la limite nous aboutissons d'une part à l'acteur vola-
tilisé, remplacé par n'importe qui : homme de la rue, enfant
naïf — ou n'importe quoi : marionnette, dessin animé —
et d'autre part à l'acteur *zéro* ou nul, c'est-à-dire totalement inexpressif.

Mais le miracle est que l'acteur stupide soit efficace et
profond au cinéma, que le film rende pathétique un acteur
niais. Ce miracle jaillit de la *projection* du spectateur. Celui-
ci, qui donne une vie aux objets inanimés de l'écran, la
donne a fortiori aux marionnettes que sont les acteurs.

*Le cinéma exalte les personnages en même temps qu'il
détruit l'acteur.*

Tout d'abord les présences d'écran irradient une sorte
de prestige diffus qui est celui du double. Spectres corporels
et cependant insaisissables... « les personnes d'ombres
(shadow personalities) présentées par le film semblent au
spectateur plus réelles, plus humaines, plus intensément
liées à elles-mêmes que les acteurs de chair et d'os derrière
la rampe » (Hampton, *A story of the movies*). Ces personnes
d'ombre sont magnifiées de plus par le gros-plan, l'éclairage,
le maquillage, la musique, etc., c'est-à-dire précisément les
techniques qui détruisent le jeu de l'acteur.

Ces techniques qui conjuguent leur efficacité dans le montage irriguent sur les visages une infinie richesse de participations.

L'absence physique de l'acteur contribue à cette exaltation du personnage. Certes, l'acteur de théâtre subit l'adhérence de son personnage, mais pour le public, il ne s'y associe qu'après que les applaudissements ont salué son entrée en scène, et s'en dissocie au moment de saluer. L'acteur transperce le personnage à chaque maladresse, à chaque prouesse.

Au cinéma, l'acteur doit coller si étroitement à son rôle qu'il est choisi en fonction de son type, c'est-à-dire de la signification et de l'expression immédiates, naturelles, de son visage et de son corps. Comme dit Poudovkine : « La diversité des rôles que l'acteur peut jouer au cinéma dépend soit de la diversité des types qu'il peut interpréter en préservant une même apparence extérieure (Stroheim), soit du développement du même type à travers une diversité de circonstances » (*Film Acting*, p. 150). Le type facial, expression dominante et caractéristique du visage prend une telle importance que le metteur en scène va chercher des visages dans la rue et utilise des visages de la rue. Il importe moins désormais de jouer de ses traits que d'avoir des traits — un masque. Le type physique tend à égaler ou dépasser en importance le jeu traditionnel ou art de la composition. Aussi voit-on les acteurs de composition se raréfier sur l'écran. Ici encore, il y a promotion du personnage, personnage qui est en même temps celui de la vie réelle et celui de l'écran, en même temps que dévaluation du jeu de l'acteur.

Le jeu de l'acteur n'est pas pour autant dépourvu de sens et d'intérêt au cinéma, mais il se fonde sur une dialec-

tique particulière. « Soyez naturel », demande-t-on aux acteurs. Aussi le naturel devient-il en quelque sorte la seule
technique qui leur soit enseignée. Les starletts d'Hollywood
apprennent à parler, marcher, courir, s'asseoir, descendre
les escaliers. La J. Arthur Rank's Company of Youth (fondée en 1946) donne des cours de danse, de marche, d'es-
crime, c'est-à-dire d'aisance, de souplesse animale, de vie.
« L'acteur est obligé d'avoir autant de naturel que l'arbre »
(Lionel Barrymore, dans *les Techniques du film*, Payot 1939).
Mais, par là même, ce naturel de cinéma devient une styli-
sation, un non-réalisme, puisqu'à la différence de l'arbre,
le propre de l'homme est de manquer de naturel dans ses
maladresses, balourdises, bafouillages. D'où une nouvelle
dialectique du naturel-artificiel qui amène les acteurs à
entretenir certains tics — secouer son veston, passer ses
mains dans ses cheveux, sans compter ce signe clé du « naturel » : allumer une cigarette. Et les acteurs sont reconnus
grands dans le naturel précisément lorsqu'ils dépassent à la
fois les tics et le naturel stéréotypé, récupèrent avec aisance
le bafouillage et la maladresse, et semblent inventer à chaque
geste le naturel.

En même temps qu'il encourage le naturel, le cinéma
encourage un *rituel*, fondé sur le hiératisme du masque
et l'automatisme de la poupée, qui renoue en un certain
sens avec celui du théâtre japonais ou grec, et celui du théâtre de marionnettes. Le jeu de cinéma commence avec le
visage figé de Sessue Hayakawa (*Forfaiture*, Cecil B. de
Mille, 1915) et, depuis, le gros plan est orienté vers « cet
art que je considère comme étant à la base de notre métier,
cet art de masques précis » (Max Ophüls, *Cahiers du cinéma*,
nº 54, Noël 1955, p. 7).

Aux deux pôles du jeu de l'acteur de cinéma, le masque
hiératique d'une part, le naturel d'autre part. Ils peuvent

alterner selon la nature du plan ou les qualités de l'acteur, ils peuvent se confondre dans ce qu'on appelle la « sobriété ».

La sobriété s'efforce de concilier l'expression permanente du masque et les mille petites expressions vivantes qui font « naturel ». Elle s'acquiert, devant la caméra, par une intériorisation du jeu. Murnau ordonnait à ses acteurs : « Don't act. Think. » (*Hollywood Spectator*, nov. 1931, p. 8.) « Ne jouez pas. Pensez! » Jacques de Baroncelli disait, dès 1915 : « Ce n'est plus dans la peau d'un personnage qu'il faut entrer, mais dans sa pensée. » Et Charles Dullin : « Au cinéma, l'acteur doit penser et laisser la pensée travailler sur son visage. L'objectif fera le reste... Le jeu au théâtre a besoin de grossissement et le jeu au cinéma a besoin d'une vie intérieure » (Charles Dullin, « l'Émotion humaine », dans *Art cinématographique*). L'exigence de vie intérieure complète ici la théorie des « modèles vivants » de Kuleshov.

Pensez! Ce « cogito » cinématographique est clair. Le « je pense » de l'acteur de cinéma est un « je suis ». Être est plus important que manifester. « Jouer n'est pas vivre, c'est être » (Jean Epstein). Le « je suis » de l'acteur s'impose par « *un acte de foi dans son double* ».

Le jeu devient donc un jeu d'âme : les visages en gros plan sont « de véritables coupes d'âme » (J. Supervielle, « Cinéma », *Cahiers du mois*, p. 182). La clarté du regard de Michèle Morgan est comme un puits d'âme. Dullin disait encore : « Le cinéma veut une âme derrière le visage » *(Art. cit.)*. Eve Francis : « jouer... avec l'âme au fond des yeux » (*Réflexions sur l'interprétation cinématographique*, dans Lapierre, *Anthologie du cinéma*, p. 319). La sobriété des gestes et de la mimique tend donc à faire converger toute l'attention vers « l'âme du visage ». Le jeu de l'acteur de cinéma n'est pas nécessairement aboli, mais il tend à se muer en art de la *présence subjective*, dans le cadre du modèle vivant (masque ou type expressif).

D'où les possibilités inconnues ou à peine défrichées au théâtre, qu'a pu exploiter le cinéma. Tout d'abord le jeu « sobre », « concentré », « naturel », « réaliste », « psycho- logique », qui sait s'exprimer par des mouvements à la limite de la perceptibilité. D'autre part, l'acteur tend à jouer son propre personnage. Selon Frank Capra, Gary Cooper se jouait lui-même dans M. Deeds. La spécialisation d'un acteur en fonction de son « type » prend au cinéma un essor inconnu au théâtre. Le « naturel » y gagne d'autant : « Tout acteur atteint son sommet quand il lui est donné de s'exprimer dans un personnage qui lui ressemble comme un frère » (Capra).

Le réalisateur peut rechercher l'unité du joueur et du joué, par-delà l'acteur professionnel, chez des inconnus dont le type physique et sociologique correspond au personnage exigé par le film. Les soviétiques d'abord (Eisenstein, Pou- dovkine), puis les néo-réalistes italiens (Rossellini, de Sica) ont utilisé ces hommes de la rue. « On doit trouver dans une foule les visages, les expressions, les têtes que l'on veut avoir » (Eisenstein, cité par Altmann, Cinéma soviétique, *Art cinématographique*, VIII, p. 126-127). « Il ne faut pas avoir peur des gens qui ne sont pas acteurs professionnels. Il faut bien se souvenir que chaque homme peut se jouer parfaitement soi-même pour l'écran au moins une fois » (Dovjenko, cité par Altmann, *op. cit.* p. 123). Car « un vrai vieillard a déjà 60 ans d'avance pour travailler son rôle » (Eisenstein, *op. cit.*).

Certes le « naturel » des non-professionnels a des limites : « Le studio leur étant non naturel, il les rend eux-mêmes non naturels » (Balazs, *Theory of film*, p. 79). Mais cette restriction de Balazs peut être tournée par la pratique psychodramatique et sociodramatique de la réalisation. A vrai dire, c'est d'une part l'expérience professionnelle des acteurs « types » et d'autre part le développement des vedettes et des stars qui ont freiné l'utilisation des voleurs de bicyclette.

C'est en effet dans la mesure où le cinéma nie le jeu de l'acteur traditionnel qu'il fait aussi surgir la star. Celle-ci tient de l'acteur « naturel », de l'acteur « type », et du non-acteur professionnel.

Comme le non-acteur ou l'acteur spécialisé, la star est un type expressif. Ce qui l'en distingue est le caractère supérieur et idéal qui en fait un *archétype*. Comme l'acteur spécialisé et le non-acteur — et à la différence de l'acteur de composition de théâtre — la star joue son propre personnage, c'est-à-dire celui du personnage idéal qu'expriment naturellement son visage, son sourire, ses yeux, son beau corps (Asta Nielsen, Mary Pickford, Lilian Gish, Valentino), « Les générations de théâtre allaient voir Both dans *Othello*, Mansfield dans *Cyrano*... nous allons voir Garbo dans Garbo » (Katrhyn Dougherty : « Close-up and Long shots », *Photoplay*, vol. XVIII, n° 1, déc. 1932, p. 26).

La star joue son propre personnage en permanence (et jusque dans la vie, avons-nous vu) avec quelques exceptions piquantes (Garbo qui rit). Le cinéma va même jusqu'à annexer des champions : Marcel Cerdan, Sonja Heinie des chefs d'orchestre : Léopold Stokovski — pour leur faire interpréter leur propre rôle, parfois sous leur véritable identité.

Nous retrouvons la dialectique, d'où naît la star, qui va de la personne réelle au personnage d'écran et réciproquement. Rappelons seulement ici que, si la star joue dans la vie son mythe (personnage d'écran) ce mythe est inscrit dans son type — son visage et son corps.

Car ces visages, ces corps, ces voix que le cinéma sélectionne sont déjà dans la vie porteurs d'une sorte de mystère sacré. Ces visages sont des masques qui expriment immédiatement la force ou la tendresse, l'innocence ou l'expérience, la virilité ou la bonté, et plus largement une qualité surhumaine, une harmonie divine, ce que nous appelons *beauté*.

Notre admiration, notre amour chargent d'une âme rayonnante les beaux visages. La beauté nous semble toujours une richesse intérieure, une profondeur cosmique. La beauté aux faces multiples est le masque sacré qui, de lui-même et pour nous, exprime vertu, bien, vérité, justice, amour. *La beauté est langage. Alors que l'expression des visages hirsutes, ravinés, érodés des gros plans d'Eisenstein est leur beauté, c'est la beauté des radieux visages de stars, offerts comme une coupe, lèvres entrouvertes, qui est leur expression.*

Aussi, à la différence du théâtre, la beauté peut se révéler à la fois nécessaire et suffisante pour l'acteur. *La beauté est actrice au cinéma.*

La star peut être complètement inexpressive : son jeu peut être, comme le disait Emil Ludwig, réduit à « une seule intonation, un seul tic de physionomie, un seul geste qu'elle répète dans tous les rôles où elle paraît ». Léo Rosten, de son côté, évoque une star qui n'a que deux expressions : joie et indigestion. Mais la beauté de cette star peut être aussi émouvante, magique, efficace que les masques sacrés de la Chine, de l'Inde, de la Grèce. Aussi éloquente que celle des statues.

Là même où s'opère la destruction maxima de l'acteur et l'exaltation maxima des personnages, la star n'a besoin de rien d'autre que de cultiver sa beauté, d'acquérir une aisance supérieure, et d'entretenir sa personnalité semi-mythique. N'importe qui peut être star, n'importe quelle Shirley, n'importe quelle petite ou grande poupée.

Une puissance infinie de projection se fixera sur cette

poupée pour lui donner l'expression suprême, divine. *L'inexpression est l'expression suprême de la beauté. Les techniques de cinéma achèvent de transformer la poupée en idole.*

Les stars, disait Malraux, ne sont nullement des actrices qui font du cinéma. Ce sont des actrices, mais certaines d'entre elles peuvent ne pas dépasser le degré zéro de l'expression.

C'est pourtant le même public qui admire le jeu intelligent des Jannings, Michel Simon, C. Lauthton, de tous les laids grandioses du cinéma, et qui admire l'insondable vie des beaux visages dans lesquels il projette son âme. Il n'y a pas de contradiction. La beauté est un équivalent affectif de toutes les autres vertus — quand elle n'est pas la vertu suprême!

Certes, il n'est pas indispensable que la star soit dépourvue de talent. Savoir jouer ne gâte rien. De grandes actrices sont aussi des stars, comme Katherine Hepburn, Bette Davis, Anna Magnani. En France, vers 1950, selon Gentilhomme, treize vedettes sur vingt sont aussi des actrices de théâtre.

Il convient en outre de signaler à nouveau l'exception que constitue la star comique. Le registre du comique reste le plus fidèle aux traditions du cirque, du music-hall, du théâtre : il en conserve l'exagération du geste, de la mimique, et éventuellement le sens du « mot » (plaisanterie). Le comique est un art, un talent, une technique. Ce n'est pas un hasard si nombre de grands acteurs dramatiques ont d'abord été de grands comiques, comme Charlot ou Raimu. L'ordre particulier du comique, véritable négatif du dramatique ou du tragique, nous montre ici encore que le registre des émotions profanes et sacrilèges — le rire en un mot — est le moins mécanisable, le plus *intelligent*. Le cas particulier du comique signalé, ainsi que l'éventualité du talent expressif chez les stars, il n'en reste pas moins que le *star system* n'a

pu se développer que parce que les techniques du cinéma
ont transformé et désagrégé l'ancienne conception de l'acteur.

Le non-acteur et la star sont l'aboutissement du même
besoin, non d'un acteur mais d'un type, d'un modèle vivant,
d'une présence. Le degré zéro du jeu cinématographique
qui permet l'annihilation de l'acteur, permet parfois un
certain type extrême de star fondé sur la beauté : la star
automate et masque, objet et divinité. La star est star parce
qu'il a été possible de transformer les acteurs en objets mani-
pulés par les techniciens du film, et parce qu'il a été possible
de doter un visage-masque, souvent déjà chargé de tous les
prestiges adorables de la beauté, de toutes les richesses
subjectives. La star est star parce que le système technique
du film développe et excite une projection-identification,
qui culmine en divinisation précisément lorsqu'il se fixe sur
ce que l'homme connaît de plus émouvant au monde : un
beau visage humain.

La star et nous

Ainsi, après avoir examiné les conditions psychologiques, sociologiques et économiques du *star system*, nous venons d'en considérer les conditions spécifiquement cinématographiques. La star objet (marchandise) et la star déesse (mythe) n'ont été possibles que parce que les techniques du cinéma excitent et exaltent un système de participations qui affecte l'acteur simultanément dans son jeu et dans son personnage.

Certes, la star n'était, n'est qu'une des possibilités du cinéma. Elle n'était pas nécessairement, nous l'avons dit, inscrite dans la nature même du moyen d'expression cinématographique. Mais celui-ci l'a rendue possible. Un autre cinéma, fondé sur des « non-acteurs » aurait pu prendre aussi bien son essor. Mais l'économie capitaliste, mais la mythologie du monde moderne, et au premier chef la mythologie de l'amour, ont déterminé cette hypertrophie, cette hydrocéphalie, cette monstruosité sacrée : la star.

Les héros des films et leurs exploits, le bruit et la fureur qui les entourent se dissolvent dans l'esprit du spectateur. Mais cette volatilisation libère des effluves pacificateurs. A ce titre, la star, héroïne des films, participe au rôle de purification esthétique qui est celui de tout spectacle.

Mais la star est précisément star dans la mesure où le

rôle qu'elle joue déborde les frontières de l'esthétique.
Comme nous le révèlent les enquêtes de H. Blumer et de
J.-P. Mayer, la star élit domicile dans l'esprit de ses admirateurs. Elle continue à vivre sur l'écran des rêves du sommeil
ou des veilles. Elle entretient et modèle des songes, c'est-à-
dire des identifications imaginaires. Comme le dit une jeune
Anglaise : « Je rêve de Rita Hayworth et je joue ses rôles
dans mes rêves. »

La star devient alors nourriture de rêves ; le rêve, à la
différence de la tragédie idéale d'Aristote, ne nous purifie
pas vraiment de nos fantasmes mais trahit leur présence
obsédante ; de même les stars ne provoquent que partiellement la *catharsis* et entretiennent des fantasmes qui vou-
draient mais ne peuvent se libérer en actes. Ici le rôle de la
star devient « psychosique » : elle polarise et fixe des obses-
sions.

Ces rêves, s'ils ne peuvent passer à l'acte total, affleurent
pourtant à la surface de nos vies concrètes, modèlent nos
conduites les plus plastiques.

Les identifications imaginaires sont elles-mêmes ferments
d'identifications pratiques ou *mimétismes*.

Des stars guident nos manières, gestes, poses, attitudes,
soupirs d'extase (« c'est merveilleux »), regrets sincères
(« Désolée, Fred, j'ai une très grande amitié pour vous,
mais je ne vous aime pas d'amour »), façon d'allumer une
cigarette, d'en expirer la fumée, de boire avec désinvolture
ou sex-appeal, de saluer avec ou sans chapeau, de prendre
des mines mutines, profondes, tragiques, de décliner une
invitation, d'accepter un présent, de refuser ou permettre
un baiser.

De très nombreux mimétismes se fixent sur les vêtements.
Déjà avant 1914, alors que le cinéma français régnait sur
le marché mondial, tout film nouveau « présenté dans une
capitale provoquait immédiatement de nombreuses demandes

de la part de femmes élégantes [1] ». Depuis, c'est sur la masse du public que les stars d'Hollywood exercent leur influence vestimentaire. En 1930 le confectionneur Bernard Waldam eut l'idée de canaliser ce courant en lançant au sein du *Modern Marchandising Bureau* les *Screen Stars Styles* et *Cinema Modes*, et dès lors furent standardisés et répandus sur le marché des vêtements inspirés de films à succès.

Si la haute couture de Paris règne en maîtresse sur la longueur de la jupe, si elle détient toujours le monopole de la mode à courte période, ce sont les stars qui se sont postées à l'avant-garde des grands courants vestimentaires, brisant ou assouplissant les cadres de l'habillement. En 1941, les grandes actrices d'Hollywood adoptèrent les étoffes et les vêtements masculins (tweed, shorts, chemisettes) tandis que les stars masculines faisaient usage de tissus et de couleurs jusqu'alors féminins. Une star est capable de renverser un dogme dans le royaume de la « fashion ». Nu sous sa chemise dans *New York-Miami*, Clark Gable porta un si rude coup à la vente du tricot de peau que le syndicat des bonnetiers demanda la suppression de cette scène dé-tricotisante.

C'est naturellement que la star, archétype idéal, supérieur et original, oriente la mode. La mode est ce qui permet à l'élite de se différencier du commun, d'où son mouvement perpétuel, ce qui permet au commun de ressembler à l'élite, d'où sa diffusion incessante.

Les mimétismes d'appropriation sont en principe infinis dès qu'ils concernent des objets analogues à ceux que la star est censée consommer, utiliser ou posséder; ils vont du chandail au slip, du whisky-and-soda au patin à glace (dont la vente augmenta de 150 % aux États-Unis après les films de Sonja Heinie). C'est pourquoi le formidable système de la publicité moderne, en captant le courant

1. Gael Faim, in Marcel Lherbier, *Intelligence du cinématographe*, Paris, Corréa (1946), p. 449-450.

pour ses fins marchandes, l'accroît et le multiplie. La star
est en effet toujours publicitaire.

La star publicitaire n'est pas seulement un génie tutélaire
qui nous garantit l'excellence d'un produit. Elle invite
efficacement à adopter *ses* cigarettes, *son* dentifrice, *son* rouge
à lèvres, *son* rasoir préféré, c'est-à-dire à nous identifier
partiellement à elle. Elle fait vendre savons, combinaisons,
réfrigérateurs, billets de loterie, romans, qu'elle imprègne
de ses vertus. C'est un peu de l'âme et du corps de la star
que l'acheteur s'appropriera, consommera, intégrera à sa
personnalité.

On comprend que la plus grande efficacité de la star
s'exerce sur les marchandises déjà imprégnées de magie
érotique. Aussi la mobilise-t-on surtout pour exalter des
produits de beauté et des substances érogènes, équivalents
modernes des philtres d'amour (cosmétiques, fards, etc.).

D'une façon plus générale, il n'est rien dans l'érotisme
moderne qui ne subisse d'une façon ou d'une autre l'influence
des stars.

Elles ont contribué à refouler le costume masculin hérité
du puritanisme anglais — sombre tenue de clergyman et
de pêcheur — au profit des rudes tenues viriles (blousons,
cuirs) et des couleurs excitantes à l'œil. Les formes féminines se sont moulées dans des chandails ou pantalons ;
elles ont découvert de nouvelles plages de chair nue.

Les zones de fixation érotique du corps humain, et sin-
gulièrement la chevelure, sont désormais sous le charme
de la star. Un coiffeur pourrait écrire une histoire du cinéma
à partir des boucles de Mary Pickford. Réciproquement,
un cinéaste pourrait écrire une histoire de la coiffure. La
mode et le terme de « blond platiné » viennent de Jean Harlow (*Hell's Angels*, 1930). En 1936, la nouvelle chevelure
plate de Greta Garbo se répand aux États-Unis. Puis c'est
la coiffure de Norma Shearer dans *Roméo et Juliette*. La

mèche sur l'œil à l'imitation de Veronika Lake eut ensuite un tel succès que, dit-on, le patronat supplia la vedette de la supprimer, les dactylos, réduites à la vision monoculaire, multipliant des fautes de frappe. En France, d'innombrables Yseult à la Madeleine Sologne se répandirent après *l'Éternel Retour*.

Le courant mimétique n'épargne pas le système pileux masculin qui fit triompher successivement les coiffures à la Marlon Brandon puis à la James Dean.

Par-delà les imitations particulières, c'est toute la magie de la coiffure qui s'est trouvée sur-érotisée, stimulant l'essor de l'énorme industrie du shampooing et du cosmétique.

Plus nettement encore, Hollywood est la source de l'industrie du maquillage moderne. Les soins de beauté donnés aux vedettes par Max Factor et Elisabeth Arden, les onguents et les fards créés pour elles se sont multipliés pour tous les visages du monde. Toutes ces boîtes, ces tubes, ces crèmes de beauté, ces laits de concombre, ces jaunes d'œufs sur le visage, tous ces laboratoires sur les coiffeuses de la petite bourgeoise, de la petite employée, sont comme les mille alchimies empruntées aux stars pour leur ressembler. Chimie et magie se conjuguent dans les rites mimétiques du matin et du soir : une image nouvelle, un visage hollywoodien, se créent devant le miroir.

Et les lèvres! Celles de Joan Crawford se surimpressionnent à des millions de lèvres dans le monde. La bouche naturelle s'efface sous une seconde bouche, sanglante, triomphante, sans relâche revernie pour provoquer le baiser mental du passant.

L'industrie de la beauté, dans son prestigieux essor, transmet et diffuse les standards modelés sur la star-étalon. Les visages féminins sont devenus des masques sorciers de séduction à l'image de ceux de l'écran. Tous les fards, peintures, crèmes, parures, vêtements et dévêtements se complè-

tent les uns les autres pour appeler aux gestes de la cour, du
désir et de l'amour. Et ce sont les gestes chargés d'érotisme
— fumer, boire — ce sont les gestes rituels et significatifs
du *love-making* qui sont les plus directement calqués sur
ceux des stars, comme le révélait dès 1929 l'enquête d'Her-
bert Blumer *(Movies and Conduct)*.

La star enseigne des techniques et des rites précis de
communication amoureuse, petites mines charmantes et
aguichantes, airs romantiques, paroles qu'impose le clair
de lune (« Comme la lune est belle ce soir », « la nuit paraît
enchantée ») style de la confidence et de la confiance (« quand
j'étais petite fille je disais à ma poupée »), façon de murmu-
rer « je vous aime », sourire extatique, yeux qui chavirent et
enfin baiser.

Le baiser, dans les films d'Hollywood, se confond avec
la déclaration d'amour. Celle-ci, dans quarante films analy-
sés par Edgar Dale en 1930 *(The Content of Movies)* s'effectue pour 22 % des cas par l'étreinte, 16 % par le baiser et
40 % par le baiser et l'étreinte. 741 scènes de baiser ont été
relevées dans 142 films des années 1930-1932. Ce baiser
hollywoodien obéit à des règles bien définies, ce n'est ni le
chaste contact de deux lèvres, ni la succion trop gloutonne,
mais une symbiose supérieure où la spiritualité et le frémis-
sement charnel s'équilibrent harmonieusement. Et des millions de bouches, quotidiennement, répètent ce baiser,
premier sacrement de l'amour moderne.

On s'efforce, non seulement de ressembler à la star, mais
de lui faire ressembler celle (celui) qu'on aime. Les parents
américains, nous dit Margaret Thorp, ont torturé leurs
enfants en les bouclant comme Shirley, leur faisant boire
le même lait, manger les mêmes flocons d'avoine, comme
s'ils devaient de cette façon acquérir ses talents à danser
et chanter. La Convention de la *National Hairdressers and
Cosmetologists* se félicitait en 1939 de ce que « grâce à Shir-

ley, les salons de beauté pour enfants aient poussé sur tout le pays ».

Dans un autre sens, l'identification peut être si intensément vécue qu'elle détermine des conduites décisives : « J'ai trouvé plusieurs occasions dans ma vie où, face à une décision, je me suis dit : qu'aurait fait ou dit Deanna Durbin en de pareilles circonstances ? » (jeune fille de 19 ans, dans J.-P. Mayer, *Sociology of film*; p. 180). L'identification peut même être poussée jusqu'à l'hystérie, comme chez cette jeune Yvette S... atteinte de cécité après avoir vu Michèle Morgan dans *la Symphonie pastorale* [1].

La star est donc essentiellement patron-modèle. Le patron-modèle peut être un archétype global (« je suis très pin-up », « tu es belle comme une star », « je me sens très Hollywood »). Il peut être particulier, chacun imitant la star à laquelle il croit ressembler. « Mon visage ressemble tout à fait à celui de Deanna Durbin. J'ai le visage de Joan Crawford, de Daniel Gélin, etc. » Le patron-modèle qui détermine l'allure extérieure (vêtements, fards) peut aussi guider les conduites de l'âme : la star bonne conseillère devient ange-gardien et même se confond avec la voix de la conscience (« qu'aurait fait Deanna à ma place ? »). Mais de toutes façons et sous quelque angle que ce soit, la star est patronne et modèle.

Or, les processus d'identifications à des patrons-modèles affectent le problème même de la personnalité humaine. Qu'est-ce que la personnalité ? Mythe et réalité à la fois. Chacun a sa personnalité mais chacun vit le mythe de sa personnalité. Autrement dit, chacun se fabrique une personnalité de confection, qui est dans un sens le contraire de la personnalité vraie, mais aussi le truchement par lequel on accède à la vraie personnalité. La personnalité naît aussi bien de l'imitation que de la création. La personnalité est

1. Cf. *Annales d'oculistique*, 1947, vol. 180, p. 104-106.

un masque, mais qui nous permet de faire entendre notre voix, comme le masque du théâtre antique. Ce masque, ce déguisement, la star en donne l'image et le modèle ; nous l'intégrons à notre personnage, l'assimilons à notre propre personne.

Ainsi la diversité, la multiplicité, l'efficacité de mille petits mimétismes nous font deviner le rôle profond des stars, qui s'éclaire si nous nous plaçons dans la perspective génétique de l'individualité au XXᵉ siècle. Toute individualité est le produit d'une dialectique des participations et de l'affirmation de soi. La star déclenche un flux de participations et d'affirmations de soi imaginaires...

Celles-ci peuvent décourager et inhiber les participations et les affirmations de soi pratiques, jusqu'à déterminer la cristallisation d'un type de personnalité schizophrène. Comme dit une jeune employée anglaise de 22 ans qui, dès son enfance, se voua au culte des vedettes : « Et maintenant j'ai rompu plusieurs amitiés charmantes par nostalgie de quelque chose de différent, quelque chose fondé sur ma première idée de l'amour. » Les identifications oniriques peuvent se complaire jusqu'à mépriser la vie. Telle cette jeune fille, citée par Margaret Phillip *(The Education of the emotions)* : fascinée par le cinéma, elle a vécu complètement en imagination la vie d'une star japonaise, accordant chaque moment de sa vie solitaire à celle de son héroïne, allant même jusqu'à se flageller.

Mais les participations et affirmations de soi imaginaires inspirées par les stars déclenchent aussi des participations et des affirmations de soi concrètes. Indirectement ou directement les stars encouragent les participations ludiques (jeux d'enfants), les sorties, les voyages, le tourisme et surtout les participations amoureuses...

La dialectique des influences imaginaires et pratiques s'exerce précisément là où la vie humaine réelle est semi-imaginaire, là où la vie imaginaire est semi-réelle. A un extrême, elle encourage un repliement narcissique sur soi, à l'autre extrême, elle encourage par contre une affirmation de soi, un courage de vivre. Dans les deux sens, elle ouvre la voie d'un salut personnel soit dans le monde du rêve, soit dans le monde de veille, soit conjointement dans un monde où veille et rêve se mêlent et se transmutent l'un l'autre.

Ce rôle salutaire éclaire les mimétismes pratiques que nous avons examinés. Toutes ces imitations des belles manières, de la coiffure, de la beauté, de la séduction tendent au même but : avoir du succès, s'imposer. Tous ces imitateurs expriment le besoin profond d'affirmer leur propre individualité. Ces lèvres rouges triomphantes, ce sourire ardent de la beauté, ce besoin d'aimer et d'être aimée révèlent que chaque femme veut se transformer en petite idole, en star miniature...

La star joue naturellement le rôle de modèle. Mais elle ne se borne pas à offrir au mimétisme les us et les rites des gens bien élevés, riches, estimés. *Elle incarne une nouvelle élite. Elle propose et impose une nouvelle éthique de l'individualité, et qui est celle du loisir moderne.*

L'éthique du loisir est née des besoins nouveaux du XXᵉ siècle ; elle oriente l'affirmation de la personnalité, hors de la zone maudite du « travail en miettes », dans l'exaltation des activités qui font oublier et contrebalancent cette servitude. La star, comme le champion sportif, l'alpiniste, l'aviateur, exprime les idéaux de l'éthique du loisir; mais, de plus, leur donne un débouché concret en leur présentant le fruit le plus exquis, le plus passionnant, le plus individualiste, le plus immédiatement consommable du loisir : l'amour.

La star favorise donc l'épanouissement d'une éthique de l'amour. Elle tend à associer le plus intimement et le plus puissamment l'affirmation de l'individualité moderne à la

participation amoureuse. Reine d'amour, elle convie chacun à la seule royauté, la seule divinité permise en ce jour
au plus humble, et qui est d'être aimé. Elle encourage à ce
qui est à la fois vivre des « aventures » et « vivre sa vie ».
Elle encourage à lutter contre le temps et le vieillissement
par la séduction, la beauté des fards et des lèvres. L'éthique
de la beauté, entretenue et défendue pas à pas contre les
outrages du temps, l'éthique de l'amour où « le cœur n'a
pas d'âge » parce qu'il a « toujours vingt ans » sont deux
expressions modernes fondamentales de l'éthique de l'individualité, qui, en fin de compte, nie la mort et refuse son
échéance.

C'est évidemment au moment d'indétermination psychologique et sociologique de l'adolescence, alors que la personnalité se cherche, que le rôle de la star est le plus efficace.
Il est à peine exagéré de dire, avec Seldes, que les films sont
faits pour les jeunes et les adolescents.
Effectivement la plupart des mimétismes que nous avons
relevés concernent des jeunes gens. Ce sont eux qui prennent pour modèles les héros de films pour mieux s'affirmer.
Ce sont eux qui assimilent la star imaginaire pour se conduire dans l'amour réel. « Je pensais qu'une bonne imitation de Gable plairait à mon amie » (jeune Anglais de 24
ans dans J. P. Mayer, *British Cinemas and their audiences*).
La star est non seulement informatrice mais formatrice,
non seulement incitatrice mais initiatrice. Elle révèle les
formes à caresser et à embrasser, les techniques de caresses
et de baisers, développe le mythe de l'amour miraculeux
et tout-puissant, invitant à reproduire le mystère sacré des
caresses et des étreintes sur l'autel de l'amour fatal, sublime, transcendant. Et du baiser rêvé au baiser réalisé, du

nouveau rêve né de ce baiser à l'accomplissement ultime, dans cet amour progressivement et efficacement vécu dans les sorties de métro, les bals du samedi soir, l'herbe champêtre, la chambre rose, la fonction initiatrice de la star s'accomplit.

D'où ces multiples transferts qui peuvent s'effectuer dès la salle du cinéma même, où enfin l'adolescent prend la main de son amie, la caresse et l'embrasse. Où, joue contre joue, ils vivent leur amour dans l'amour des stars. « Assistant avec un garçon à un film d'amour, je lui ai permis de m'embrasser » (22 ans). « D'assister à un de ces films d'amour intense, une sensation brûlante me saisit, je désire faire ces choses que je vois sur l'écran, et je dois admettre que quand je les fais, c'est très agréable » (dans H. Blumer, *Movies and Conduct*).

C'est une apprentie coiffeuse de 16 ans 1/2 que nous citerons pour illustrer le processus du transfert de la star à l'amour quotidien (J.P. Mayer, *British Cinemas*). « J'aurais toujours voulu être actrice et seulement actrice. Ce qui est étrange c'est que je n'ai jamais imité vraiment une actrice ou un acteur; je voudrais seulement savoir des choses sur eux, savoir qui ils épousaient. La seule vedette "idole de l'écran" dont je suis tombée amoureuse fut Leslie Howard, mais plus tard j'ai gagné un concours dont mon "idole" distribuait les prix et, bien qu'il fût charmant, je réalisai qu'il ne l'était pas autant que Tony — mon pauvre amoureux qui avait patiemment attendu que mon aberration fût passée. »

La fonction initiatrice s'achève au moment où l'adolescent se libère en reportant sur sa partenaire tout ce que la star lui a inspiré, y compris l'adoration. Certes la star pourra continuer encore à susciter des mimétismes partiels, elle pourra survivre dans l'imaginaire, comme un grand rêve flottant, un bel impossible qui laisse encore quelques regrets.

Mais son rôle d'agent initiatique aura été d'autant plus efficace sur l'adolescent qu'il se sera évanoui sitôt le transfert réalisé.

Toutefois l'influence de la star peut persister, après l'adolescence, là où la personnalité a mal tranché ses frontières intérieures entre le rêve et le réel, c'est-à-dire plutôt chez les femmes que chez les hommes, et plutôt dans les couches sociales intermédiaires. C'est-à-dire, en fin de compte, surtout *chez les femmes de ces couches sociales intermédiaires :* petites employées, petites bourgeoises, provinciales rêveuses et inassouvies, fardées... C'est pourquoi le *star system* est principalement voué à l'exigence féminine, la beauté féminine, la fabrication des grandes amoureuses.

L'influence des stars s'exerce aussi au-delà du public de cinéma, par le truchement de la presse, de la radio, et des mimétismes en chaîne. La star — et particulièrement celle des films d'Hollywood — rayonne sur le monde. Elle propose et commercialise un savoir-être, un savoir-aimer, un savoir-vivre. Elle contribue à diffuser, sur l'ensemble du globe, une conception de l'amour et une civilisation de l'amour très particulières au développement des sociétés occidentales. Elle accélère l'érotisation du visage humain. Ce sont les stars de cinéma qui ont exalté, là où il existait, introduit, là où il n'existait pas, le baiser sur la bouche. Le baiser n'est pas seulement la technique clé du *love-making*, ni le substitut cinématographique d'un accouplement que la censure interdit : il est le symbole triomphant du rôle du visage et de l'âme dans l'amour du XXᵉ siècle. Le baiser va de pair avec l'érotisme du visage, l'un et l'autre inconnus au stade archaïque, et encore ignorés dans certaines civilisations. Le baiser n'est pas seulement la découverte d'une nouvelle volupté tactile. Il réanime des mythes inconscients qui identifient le souffle qui sort de la bouche à l'âme; il symbolise ainsi une communication ou une symbiose d'âme. Le baiser n'est donc pas seulement le piment qui assaisonne tout film occidental. Il est l'expression profonde d'un complexe d'amour qui érotise l'âme et mysticise le corps.

Les films d'Hollywood répandent dans le monde les produits qui travaillent désormais comme des ferments les multiples cultures nationales, pré-industrielles, non bourgeoises, dans le sens d'une cosmopolisation sur des modèles occidentaux. Quels sont les syncrétismes qui s'opéreront? Une autre culture, fondée sur d'autres exigences, pourra-t-elle, née d'un monde socialiste, combattre cette influence? De quelle façon? Nous ne pouvons encore rien présager.

Pour nous résumer, la star intervient et joue son rôle sur tous les plans, le plan imaginaire, le plan pratique, et surtout le plan de la dialectique de l'imaginaire et du pratique, c'est-à-dire dans les bouillons de culture de la vie affective, là où s'élabore et se modifie la personnalité. Pour comprendre cette action polymorphe, il faut faire appel aux trois prolongements fondamentaux de tout spectacle : *catharsis*, *mimésis*, et, ajoutons le néologisme, *psychosis*.

Disons très grossièrement qu'au stade de l'enfance les effets du film se situent dans une réciprocité cathartique-mimétique. Ils se traduisent en jeux (mimésis ludique) et à travers ces jeux précis, la mimésis se résout en catharsis. Au stade de l'adolescence, une mimésis socialisatrice apparaît qui contribue à former une personnalité adulte. C'est à ce stade que les influences des stars sont les plus efficaces. Parallèlement déjà apparaissent les influences psychosiques des stars, qui peuvent aboutir au repli sur soi et à la névrose bovaryste; dans ce sens les stars contribuent à approfondir les solitudes individuelles. A vrai dire, les stars accroissent les solitudes et les participations, mais les unes et les autres ne s'annulent pas; elles constituent les solitudes et les participations que développe l'évolution de l'individualité contemporaine.

C'est finalement d'une façon complexe, différenciée et convergente à la fois, que la star intervient dans la dialectique de l'imaginaire et du réel, qui forme et transforme l'homme d'aujourd'hui, au sein de l'évolution générale de la civilisation. Ainsi les stars, *patterns of culture*, au sens littéral du terme donnent formes aux processus humains totaux qui les ont produites.

La star est bien un mythe, non seulement rêverie, mais idée-force. Le propre du mythe est de s'insérer ou s'incarner de quelque manière dans la vie. Si le mythe des stars s'incarne si étonnamment dans la réalité, c'est qu'il est produit par cette réalité, c'est-à-dire *l'histoire* humaine du XXe siècle. Mais c'est aussi parce que la réalité humaine se nourrit d'imaginaire au point d'être elle-même semi-imaginaire.

Les stars vivent de notre substance et nous vivons de la leur. Sécrétions ectoplasmiques de notre propre être, elles sont aussitôt travaillées par les grandes manufactures qui les déploient en galaxies marquées de la garantie Boussac. Nous nous drapons naïvement dans cette étoffe immatérielle qui fourmille d'étoiles. Où est la star, où est l'homme, où est le rêve? Nous les avons cherchés sur terre, au plus intime comme au plus actuel de l'homme, doubles coordonnées qui, déployées pour l'analyse, pourraient permettre ultérieurement de lire la carte du ciel stellaire.

2

Les stars du temps

Le tournant : James Dean

Le héros des mythologies a été enlevé à ses parents ou ceux-ci lui ont été enlevés : James Dean est un orphelin. Sa mère meurt alors qu'il a neuf ans et il est recueilli par un oncle, fermier à Fairmount.

Le héros des mythologies fait son destin lui-même, dans la lutte contre le monde. James Dean fuit l'Université, devient casseur de glace dans un camion réfrigérateur, marinier sur un remorqueur, s'engage comme mousse sur un yacht, jusqu'à ce qu'il arrache sa place sous les rayons éblouissants de ce soleil mythique moderne que constituent les sunlights : il s'impose sur scène à Broadway dans *See the Jaguar*, puis dans *l'Immoraliste*; il s'impose ensuite à Hollywood et tourne *A l'est d'Eden*.

Le héros des mythologies entreprend de multiples travaux dans lesquels il prouve ses aptitudes et en même temps exprime son aspiration à la vie la plus riche, la plus totale possible. James Dean a trait les vaches, soigné les poussins, conduit un tracteur, élevé un taureau, s'est distingué au basket-ball, s'est entraîné au yogisme, a appris à jouer de la clarinette, s'est instruit dans tous les domaines, et enfin est devenu ce qui dans le monde moderne incarne le mythe de la vie totale : vedette de cinéma. James Dean voulait tout faire, tout essayer, tout éprouver. « Si j'avais cent ans, disait-il, je n'aurais pas encore le temps de faire tout ce que je veux faire. »

Le héros des mythologies aspire à l'absolu mais ne peut trouver cet absolu dans l'amour d'une femme. James Dean aurait connu un amour malheureux avec Pier Angeli, qui épousa Vic Damone. Légende ou réalité? En tout cas la légende s'est ancrée dans la réalité. James Dean, devant l'église d'où sort Pier Angeli en robe de mariée, fait pétarader sa moto : le bruit du moteur recouvre le son des cloches. Puis il démarre comme un fou pour foncer jusqu'à Fairmount, la terre de son enfance. (On retrouve ici le thème de l'échec amoureux, nécessaire à l'accomplissement héroïque, ainsi que le thème du maléfice féminin qui frappe tout héros rédempteur.)

Le héros des mythologies affronte de plus en plus pathétiquement le monde qu'il voudrait saisir tout entier. Le destin de James Dean est de plus en plus haletant. Il se fixe sur cet ersatz moderne d'absolu qu'est la Vitesse. James Dean, inquiet, fiévreux pour les uns, extraordinairement serein pour les autres, sitôt terminé le tournage de *Giant*, fonce dans la nuit à 160 à l'heure sur sa Porsche de compétition vers Salinas où il doit disputer une course automobile.

Le héros des mythologies, dans sa recherche de l'absolu, rencontre la mort. Sa mort signifie qu'il est brisé par les forces hostiles du monde, mais qu'en même temps, dans cette défaite, il gagne enfin l'absolu : l'immortalité. James Dean meurt. Sa victoire sur la mort commence.

La vie et le caractère « héroïque » de James Dean ne sont pas préfabriqués par le *star system*, mais réels, révélés. Il y a plus encore.

Les héros meurent jeunes. Les héros sont jeunes. Mais notre époque voit affleurer dans sa littérature (Rimbaud, le Grand Meaulnes) et voit s'imposer d'une façon décisive depuis quelques années dans son cinéma des héros porteurs des messages de l'adolescence. Certes, depuis les origines, la plus grande fréquentation cinématographique est celle des adolescents. Mais c'est récemment que l'adolescence prend conscience d'elle-même en tant que classe d'âge particulière s'opposant aux autres classes d'âge et précisant son propre champ imaginaire et ses modèles culturels [1]. Ce que révèlent aussi bien les romans de Françoise Sagan ou de Françoise Mallet-Joris que les films de Marlon Brando ou James Dean.

James Dean est un modèle, mais ce modèle est lui-même l'expression typique (à la fois moyenne et pure) de l'adolescence en général, de l'adolescence américaine en particulier.

Son visage répond à un type physiognomonique dominant, cheveux blonds, traits réguliers. De plus, la mobilité de ses expressions traduit admirablement la double nature du visage adolescent, encore incertain entre les mines de l'enfance et le masque de l'adulte. La photogénie de ce visage, encore mieux que celle de Marlon Brando, est riche de toute l'indétermination de l'âge sans âge, où alternent les moues, les étonnements, les candeurs désarmées, les « gamineries » et les durcissements, les résolutions, les rigueurs. Menton sur la poitrine, sourire inattendu, battements de cils, ostentation et retenue, comédies gauches et naïves, c'est-à-dire toujours sincères, le visage de James Dean est ce paysage toujours changeant où se lisent les contradictions, les incertitudes, les élans de l'âme adolescente. On comprend que ce visage soit devenu un visage drapeau, et qu'il soit déjà imité, notamment dans ce qu'il a de plus imitable : la chevelure, le regard.

James Dean a également fixé ce qu'on pourrait appeler la panoplie de l'adolescence, cette tenue vestimentaire par laquelle elle exprime son attitude dans la société : le blue-

---

1. De même c'est tout récemment que l'adolescence en tant que telle est étudiée par la psychologie (Debesse).

jeans, le gros chandail, le blouson, le refus de cravate, le déboutonné, le débraillé volontaires sont autant de signes ostensibles (ayant la valeur d'insignes politiques) d'une résistance à l'égard des conventions sociales du monde des adultes, d'une recherche de signes vestimentaires de la virilité (tenue des travailleurs manuels) et de la fantaisie artiste. James Dean n'a rien innové, il a canonisé et systématisé un ensemble de règles vestimentaires qui permet à une classe d'âge de s'affirmer, et celle-ci s'affirmera un peu plus dans l'imitation du héros.

James Dean, dans sa double vie, réelle et d'écran, est un pur héros de l'adolescence. : il exprime ses besoins et sa révolte dans un même mouvement, que traduisent les deux titres, français et anglais, d'un de ses films. *La Fureur de vivre et la Rébellion sans cause*, sont les deux aspects de la même virulente exigence, où une fureur rebelle s'affronte à une vie sans cause.

C'est parce qu'il est un héros de l'adolescence que James Dean exprime, dans *A l'est d'Eden* et *la Fureur de vivre*, avec une clarté rare dans le film américain, la révolte contre la famille. Le film américain tendait à masquer les conflits parents-enfants, soit dans l'idylle familiale (*la Famille Hardy*), soit en supprimant purement et simplement l'existence des géniteurs, et en transférant l'image du père sur un vieillard insensible, cruel ou ridicule (juge, patron, semigâteux). *A l'est d'Eden* pose les personnages d'un père incompréhensif et d'une mère déchue. *La Fureur de vivre* pose les personnages d'une mère incompréhensive et d'un père déchu. Dans ces deux films apparaît le thème du combat de l'adolescent contre le père (que celui-ci soit tyrannique ou lamentable) et l'impuissance à rejoindre vraiment la mère. Dans *Giant*, le cadre du conflit éclate : c'est contre une famille extérieure à lui, et par extension contre les normes sociales que James Dean combattra avec une haine farouche[1]. Mais dans ces trois films apparaît le thème commun d'une femme-sœur qu'il faut arracher à la possession d'un autre. Autrement dit, le problème de l'amour sexuel est encore enveloppé par l'amour sororal-maternel et n'a pas encore brisé cette coquille pour se lancer dans l'univers des pin-up étrangères à la famille ou à la classe d'âge. A ces amours imaginaires de cinéma se surimpressionne l'amour, mythique peut-être lui aussi, qu'il aurait ressenti pour Pier Angeli, au candide visage de sœur-madone. Par-delà cet amour impossible, commence l'univers des « aventures » sexuelles...

Dans un autre sens, James Dean, dans sa vie et ses films, exprime les besoins de l'individualité adolescente, qui, s'affirmant, se refuse par là même aux normes de la vie encroûtée et spécialisée qui s'ouvre devant elle. Le besoin de totalité et d'absolu est le besoin même de l'individu humain, quand il s'arrache au nid de l'enfance et aux chaînes de la famille, et qu'il ne voit devant lui que les nouvelles chaînes et les mutilations de la vie sociale. C'est alors que fermentent les exigences les plus contradictoires. Truffaut l'a bien dit (*Arts*, 26-9-1956) : « Dans James Dean, la jeunesse actuelle se retrouve tout entière, moins pour les raisons que l'on dit : violence, sadisme, frénésie, noirceur, pessimisme et cruauté que pour d'autres, infiniment plus simples et quotidiennes : pudeur des sentiments, fantaisie de tous les instants, pureté morale sans rapport avec la morale courante mais plus rigoureuse, goût éternel de l'adolescence pour l'épreuve, ivresse, orgueil et regret de se sentir ''en dehors'' de la société, refus et désir de s'y intégrer et finalement acceptation — ou refus du monde tel qu'il est. »

La contradiction essentielle est celle qui lie la plus intense

1. Georges Stevens raconte comment c'est James Dean lui-même qui demanda d'interpréter ce rôle : « C'est un rôle pour moi, monsieur Stevens. »

aspiration à la vie à la plus grande chance de mort. C'est le problème même de l'initiation virile, qui dans les sociétés archaïques s'effectue dans de terribles épreuves institutionnalisées ; dans nos sociétés, elle ne s'effectue d'une façon institutionnelle que dans la guerre (et d'une façon atrophiée dans le service militaire) ; faute de guerre ou de subversions collectives (révolutions, résistances, etc.), elle doit être cherchée dans le risque individuel.

Finalement l'adulte des sociétés bureaucratisées et embourgeoisées est celui qui accepte de vivre peu pour ne pas mourir beaucoup. Mais le secret de l'adolescence est que vivre c'est risquer la mort. Que la fureur de vivre, c'est l'impossibilité de vivre. James Dean a vécu cette contradiction et l'a authentifiée dans sa mort.

Ces thèmes de l'adolescence apparaissent dans toute leur netteté à une époque où l'adolescence est particulièrement réduite à un repli sur soi, tandis que la société ne lui offre aucune issue dans laquelle elle puisse engager sa cause ou l'y reconnaître.

Ce n'est pas par hasard qu'un James Dean ait pu devenir exemplaire en ces années du demi-siècle ; aux intenses participations de la guerre et de la résistance, aux immenses espoirs soulevés en 1944-1946 ont succédé non seulement les replis individualistes, mais un nihilisme généralisé, qui est une mise en question radicale des idéologies et des valeurs officiellement proposées, tant dans l'univers capitaliste que dans l'univers stalinien. Le mensonge idéologique dans lequel vivent ces sociétés qui se prétendent harmonieuses, heureuses et exaltantes, provoque en retour ce « nihilisme » ou ce « romantisme » dans lequel l'adolescence fuit et retouve à la fois la réalité de la vie.

C'est ici que, dans le monde bourgeois occidental, l'aventure, le risque et la mort interviennent dans le pétaradement d'une motocyclette ou d'une automobile de course. Déjà les motocyclistes d'*Orphée* laissaient derrière eux le sillage fatal de la mort. Déjà *l'Équipée sauvage* de Laslo Benedek, dessinait d'une façon à la fois amère et tendre l'image de l'adolescent motocycliste : Marlon Brando, archange vrombissant annonçait comme un saint Jean-Baptiste imaginaire le James Dean réel, parce qu'il était lui-même l'expression imaginaire de milliers d'adolescents réels qui ne pouvaient exprimer leur fureur de rebelles sans cause que dans l'équipée motocycliste. La *vitesse motorisée* est non seulement un des signes modernes de la quête de l'absolu, mais répond au besoin de risque et d'affirmation de soi dans la vie quotidienne. Tout chauffeur se sent dieu, au sens le plus biblique du terme, ivre de lui-même, prêt à foudroyer les autres chauffeurs, les mortels (les piétons) et dictant sa loi sous forme d'injures à ceux qui ne reconnaissent pas sa *priorité absolue*.

L'auto, c'est enfin l'évasion : les semelles de vent de Rimbaud sont remplacées par la Porsche grand sport de James Dean. Et l'évasion suprême, c'est la mort, comme l'absolu c'est la mort, comme l'individualité suprême c'est la mort. James Dean fonce vers la mort dont ne pouvait le protéger que provisoirement le contrat qui le liait pour le film *Giant*.

La mort accomplit le destin de tout héros de mythologie en accomplissant sa double nature : humaine et divine. Elle accomplit son humanité profonde, qui est de lutter héroïquement contre le monde, d'affronter héroïquement une mort qui finira par le terrasser. En même temps, elle accomplit le héros dans sa nature surhumaine, elle le divinise dans ce sens qu'elle lui ouvre les portes de l'immortalité. Ce n'est qu'après son sacrifice, où il expie sa condition humaine, que Jésus devient dieu.

Aussi voit-on s'amplifier sur le personnage de James Dean les phénomènes de divinisation qui caractérisent les stars mais qui y demeurent atrophiés.

Tout d'abord, il y a ce phénomène spontané, naïf : le refus de croire à la mort du héros. Ainsi a-t-on douté de la mort de Napoléon, de Hitler, en bref de tous les surhommes (qu'ils soient surhommes du bien ou du mal) parce qu'on ne peut concevoir tout à fait qu'ils soient d'essence mortelle. Ainsi doute-t-on de la mort de James Dean. Une légende veut qu'il ait miraculeusement survécu à son accident. C'est un garçon faisant de l'auto-stop qui aurait été tué. James Dean lui, est défiguré, méconnaissable, inconscient peut-être : il est enfermé dans un asile de fous ou un hôpital. Toutes les semaines, deux mille lettres sont adressées à un James Dean vivant. Vivant où ? Dans un no man's land entre la vie et la mort que l'âme moderne aime à situer dans les asiles de fous et dans les cliniques, mais qui peut n'être pas localisé. Ici James Dean s'insère dans la conception spirite de la mort : James Dean est parmi nous, invisible et présent. Le spiritisme ressuscite la conception achaïque selon laquelle les morts, spectres corporels doués d'invisibilité et d'ubiquité, vivent parmi les vivants. C'est pourquoi, lors de la présentation de _Giant_, une jeune spectatrice s'écrie : « Reviens Jimmy, je t'aime, nous t'attendons. » C'est la présence _vivante_ (spirite) de James Dean que ses fanatiques vont désormais chercher dans ses films. C'est pourquoi se multiplient aux États-Unis les séances spirites pour communiquer avec James Dean. C'est pourquoi la petite vendeuse de Prisunic, Joan Collins, s'est fait dicter par James Dean mort une extraordinaire confession spirite où il déclare : « Je ne suis pas mort. Ceux qui croient que je ne suis pas mort ont raison », et où il affirme avoir retrouvé sa mère. C'est pourquoi le « James Dean returns » de Joan Collins a été vendu à 500 000 exemplaires.

Aussi un culte s'organise-t-il, comme tout culte, afin de rétablir le contact entre le mort immortel et les mortels. La tombe de James Dean est continuellement fleurie, et trois milles personnes s'y sont rendues en pèlerinage pour le premier anniversaire de sa mort. Le masque de James Dean sera placé, dans l'université de Princeton, aux côtés de ceux de Beethoven, Thackeray, Keats. Son buste est en vente pour 30 dollars. La voiture fatale est sacralisée. Pour 25 cents, on peut contempler la Porsche grand sport, et pour un supplément de 25 cents, on peut se glisser à son volant. Cette voiture disloquée, qui symbolise la Passion de James Dean, sa fureur de vivre et la fureur de la mort, est même débitée en boulons, pièces de ferraille tordues qui sont autant de reliques sacrées que l'on peut acheter selon grosseur à partir de 25 dollars pièce et que l'on garde sur soi, pour s'imprégner de la substance mystique du héros.

Par sa mort, James Dean retrouve le prestige oublié des stars de la grande époque, qui plus proches des dieux que des mortels, suscitèrent une adoration éperdue. Mais sa mort, d'un autre côté, authentifie une vie qui le place résolument parmi les stars modernes, proches des mortels. Les stars modernes sont des modèles et des exemples, alors que les stars anciennes étaient des idéaux de rêve. James Dean est un héros réel, mais qui subit une divinisation analogue à celle des grandes stars du muet.

Et l'immortalité de James Dean, c'est aussi cette survie collective dans mille mimétismes. James Dean est bien une star parfaite : dieu, héros, modèle. Mais cette perfection, si elle n'a pu s'accomplir qu'à travers la machinerie du *star system*, vient de la vie et de la mort du James Dean réel et d'un besoin, le sien, celui d'une génération qui se regarde en lui, reflétée et transfigurée, à travers les deux miroirs jumeaux de l'écran de cinéma et de la mort.

James Dean est une star parfaite. Mais, on le voit quinze

ans plus tard : trop parfaite. Sa mort, qui évoque le destin
de Rudolf Valentino, fait resurgir la tragédie qui avait
complètement disparu du *star system* depuis 1930. Du coup,
James Dean opère une rupture décisive dans l'euphorie
hollywoodienne.

Pourtant, James Dean ne retourne pas au mythe des
stars du muet. Bien au contraire, il ouvre la nouvelle étape,
celle de l'auto-destruction du mythe hollywoodien de la
star. C'est que sa mort ne nous renvoie pas à la grande,
irréelle, fantomatique et mélodramatique épopée du vieux
cinéma. Elle nous introduit en fait au problème du vivre.
C'est le vouloir vivre de Dean qui faisait problème avant sa
mort, et c'est lui qui a rencontré la mort. Ainsi James Dean
fait apparaître le grand thème nouveau qui va tendre à se
substituer à la mythologie du bonheur, et qui est la problématisation du bonheur. *A l'euphorie va succéder le problème.*
Ainsi, avec le Marlon Brando de *The wild one (l'Équipée
sauvage)* et *On the waterfront (Sur les quais)*, James Dean
inaugure un nouveau type de héros, un nouveau type de
star qu'illustreront par la suite Paul Newman et Anthony
Perkins : le héros paumé, le héros tourmenté, le héros à
problèmes, voire névrosé. Ce n'est pas un mal extérieur qui
le menace, ce n'est pas un ennemi reconnaissable, un traître,
un méchant. Le mal est à l'intérieur, il est dans la contradiction vécue, l'impuissance, l'aspiration, la recherche
errante.
   A ce titre, James Dean a bien ouvert l'ère des héros de
l'adolescence moderne. Mais l'adolescence qui enfin avec
James Dean trouve son expression propre sur l'écran de
cinéma va, précisément à partir de cette prise de conscience,
se dissocier culturellement du cinéma. La culture adolescente, qui opère sa première cristallisation à partir des films
de James Dean, va fixer son bouillon essentiel de culture non

plus sur le film mais sur le rock, la musique, la chanson, la danse.

C'est au cours de ces années décisives, 1957-1962, que se réalise une dissociation capitale : le cinéma restera certes un spectacle juvénile, mais le *star system* cessera de jouer son rôle de modèle culturel dominant sur la jeunesse.

Par une remarquable coïncidence, le crépuscule du *star system* (que nous examinerons dans le chapitre suivant) est contemporain de la dissociation et du renouvellement de la culture juvénile (peut-être celui-ci a-t-il été favorisé, sur-déterminé par cette décadence, peut-être cette décadence a-t-elle été précipitée par cette dissociation ?).

Ainsi James Dean, ultime star mythologique, est la première star problématique. Premier héros de l'adolescence, il annonce une nouvelle culture juvénile qui se détachera du cinéma, et lui fera perdre son rôle socio-culturel le plus notable.

Le crépuscule du star system et la résurrection des stars

Dans les pays occidentaux, et en premier chef aux États-Unis, où s'est épanoui le *star system*, la fréquentation cinématographique ne cesse de décroître dans les années cinquante. Au début des années soixante, il apparaît clairement que le cinéma n'est plus qu'un medium parmi les mass-media, un divertissement parmi d'autres loisirs. La baisse quantitative correspond en fait à une déchéance qualitative. Le cinéma n'est plus la clé de voûte de la culture de masse, ce n'est plus le bouillon de culture de l'individualité moderne : la maison, la télévision, l'auto, les week-ends, les voyages configurent la nouvelle constellation culturelle, où le cinéma a perdu la place solaire.

Le cinéma ne fait pas que perdre sa position privilégiée. La perdant il entre en crise. Au cours des années cinquante, il avait lutté contre le désintérêt du public par l'écran large, la généralisation de la couleur, une relance érotique, la présentation des nouvelles super-stars. Mais ce n'était que retarder le moment de la rupture interne. A partir de 1960, tout l'édifice construit par Hollywood autour du film standard, à la fois irréaliste et réaliste, euphorisé par le *happy end*, magnifié par la star, tout cet édifice se fissure de part en part, et l'on voit se distinguer progressivement deux cinémas.

C'est en France que s'opère la cassure (1959-1962) avec le surgissement de la « nouvelle vague ». Dans ce pays où le système de production était très peu concentré, à la différence d'Hollywood, où il était endémiquement en situation précaire, une conjoncture favorable a créé la brèche : la poussée impatiente d'une jeune génération disposant du bastion critique des *Cahiers du cinéma*, l'insuccès simultané de cinq films à vedettes et, parallèlement, le succès d'*A bout de souffle*, du *Beau Serge*, des *Amants*.

Si la nouvelle vague opère sa percée, c'est qu'elle permet de produire des films bon marché qui ne soient pas pour autant des films de catégorie B. Les premiers films de la nouvelle vague coûtent de 40 à 60 millions d'anciens francs, au lieu de 200 à 400 millions pour les films « normaux » avec stars, soit de trois à dix fois moins. Or ces films à bas prix, qui peuvent s'assurer une rentabilité avec un public réduit, sont capables de déterminer de nouvelles normes de succès : prix de festivals, louanges de la critique, prestige du réalisateur, intérêt et nouveauté des thèmes.

Ici et là apparaissent d'autres nouvelles vagues, parfois dans les pays où la production était nulle. Aux États-Unis, il n'y a pas à proprement parler de nouvelle vague, mais on voit, après *Marty*, film sans star réalisé avec un budget de télévision, un redémarrage du cinéma indépendant, du cinéma d'auteur. Alors qu'en France ce sont de petits producteurs qui, avec l'aide de l'État, prennent en charge le nouveau type de films, c'est, aux États-Unis, Hollywood qui relâche la corde et laisse leur liberté à des réalisateurs-producteurs, à des artistes-producteurs, à des producteurs, satellites économiquement mais dotés de libertés esthétiques et cinématographiques inconnues jusqu'alors, pour réaliser des films bon marché mais pourvus d'un prestige artistique. La rupture s'opère toutefois avec la naissance du cinéma new-yorkais, avec le développement du cinéma *underground* ou *semi-underground*. Et, même si Hollywood peut récupérer économiquement le cinéma indépendant ou contestataire, celui-ci n'en conserve pas moins des traits distincts, voire opposés à ceux du premier cinéma.

D'un côté en effet, c'est un cinéma à imposant budget, de grosses maisons de production réalisant des « superproductions ». De l'autre, c'est un cinéma à petits budgets, de petits producteurs ou de producteurs exécutifs, réalisant des films à vocation ou à prétention artistique. D'une part la star et, mieux, un lot de stars internationales règnent sur le film, lequel déploie un prodigieux spectacle en couleurs sur écran large, sur terre, dans les eaux, dans les airs, dans le passé, dans le futur, dans les ailleurs. De l'autre, l'auteur règne sur le film, parfois y supplante la vedette, y expose son art, son obsession, son problème.

D'un côté une gigantesque publicité, le grand circuit des salles d'exclusivité et des salles populaires, les exhibitions des stars dans les festivals. De l'autre, les grands prix dans ces mêmes festivals, l'appui de la critique, un nouveau circuit, devenant international, des salles d'art.

Ainsi deux systèmes tendent à se constituer, chacun avec son propre type de production, de distribution et d'exploitation, chacun avec sa thématique dominante.

Du coup, la grande synthèse archétypique des films de 1930-1960 se disloque et fait place d'une part à un cinéma spectaculaire-évasionnel, d'autre part à un cinéma problématique.

Le cinéma évasionnel se détache de cette réalité quotidienne que, du moins en ses apparences, le cinéma de l'époque précédente avait réussi à intégrer : réaliste, il se situe dans un ailleurs, un révolu, comme *Docteur Jivago* ou *Little big man*; ou bien une violente injection d'onirisme irrigue l'apparente réalité quotidienne, comme dans les aventures de James Bond.

Ce cinéma spectaculaire fait revenir au centre de la grande production ce qui avait fait la gloire du muet et qui avait été par la suite relégué dans la série B (films de complément, bon marché, sans vedettes, qui, du reste, ont servi de modèle à la nouvelle vague française par leur technique et non par leur thématique). C'est désormais le triomphe du western, non pas le western seulement épique et sérialisé du muet, mais le western plus riche, incarné par des stars, sous-tendu par la psychologie, les raffinements artistiques, voire les problèmes politiques et sociaux. C'est le triomphe du film historique, fabuleux, exotique.

D'un autre côté se développe le second cinéma qui cherche, alternativement ou simultanément, plus d'esthétique et plus de vérité. C'est le film d'auteur, qui se rapproche de la littérature, non seulement en faisant appel aux écrivains (en France, Duras et Robbe-Grillet, scénaristes de Resnais puis réalisateurs), mais en cherchant à donner au film la subtilité de la littérature dans l'expression des sentiments (Rohmer par exemple), à donner au cinéma le même large registre que le roman (Resnais) en se vouant à des recherches formelles. Ou bien le cinéma vise à plus de vérité: il substitue les décors naturels au carton des studios, tourne dans la rue; la caméra d'un Coutard (opérateur de Godard) quitte son trépied et se met en chasse du détail significatif, fugitif; on brise avec le jeu de l'acteur conventionnel, on fait appel à l'improvisation sur canevas (Godard). En 1960 apparaît même le cinéma-vérité qui prétend se passer de scénario et interroger directement la vie.

Ainsi, néo-esthétisme et néo-documentarisme constituent les deux pôles extrêmes entre lesquels se déploie le nouveau cinéma. Celui-ci s'enhardit, veut traiter de problèmes sociaux et politiques et, à partir de 1968, apparaît le cinéma « contestataire ». Mais, qu'il soit esthétisant, documentarisant, politisant, le second cinéma demeure, par rapport

au cinéma évasionnel-spectaculaire, un cinéma problématique. Il entend poser des problèmes artistiques, les problèmes de l'auteur, de la vie, de la société.

Ces deux cinémas ne sont cependant ni séparés, ni imper-
méables l'un à l'autre : ils constituent comme deux systèmes couplés, siamois. Il y a entre eux circulation, contami-
nation, conflits, coopération.

D'abord, le système de production mise souvent sur l'un
et l'autre tableau (ainsi des grandes compagnies d'Hollywood). Par ailleurs les grands festivals continuent plus ou
moins à réunir les deux types de films — et les productions
du deuxième cinéma, quand elles connaissent le succès, peuvent être programmées dans les salles du grand circuit commercial : les réalisateurs comme Visconti, Bunuel, Godard,
y font des incursions triomphantes en y introduisant une
partie plus ou moins grande de leur message ou en y disposant de plus ou moins de liberté. Des actrices révélées par
le cinéma problématiques peuvent devenir stars dans le
grand cinéma (Jeanne Moreau, découverte dans *les Amants*,
tourne avec Brigitte Bardot, sous Louis Malle, lui-même
auteur du cinéma problématique, dans *Viva Maria*, super-
production qui, du reste, est finalement un échec). Dans le
cinéma grand public, de moins en moins rares sont les réalisateurs qui deviennent des vedettes et dont le nom apparaît désormais en gros sur les affiches (Hitchcock, Clément,
Chabrol). Ainsi les deux cinémas constituent-ils deux pôles
antagonistes mais communicants dont la dialectique fait
la vitalité du cinéma de la nouvelle époque, tout en confir-
mant bien la décadence du grandiose système cinématographique qui régna pendant trente ans. Il y a vitalité aux deux
pôles mais l'on ne trouve presque plus rien au centre, là où
s'édifiait l'ancienne synthèse du réel et de l'imaginaire, là
où régnait le *happy end*.

LE CRÉPUSCULE DU STAR SYSTEM

Le deuxième cinéma tend à exclure les stars : elles sont trop chères pour ces films à bon marché et surtout il y a à la limite incompatibilité de principe entre ce cinéma et la star. Pour le cinéma d'auteur, le réalisateur est non seulement plus important que la vedette, mais il a besoin d'interprètes, d'acteurs, non d'idoles. Pour le cinéma du réel, le mythe de la star jure avec la vérité recherchée. Les principes économiques, esthétiques et véristes du cinéma problématique tendent donc à exclure la star. Le développement de ce cinéma rétrécit l'aire du *star system* : plus il gagne les festivals, plus la star est refoulée (Venise); et quand il crée ses propres festivals (Pesaro, Poretta, Lérins), les stars en sont exclues.

La star triomphe certes dans le cinéma spectaculaire. Mais elle ne peut plus y opérer la synthèse mythologique de l'ère précédente. Les grands héros aventuriers des westerns et des films d'aventures sont certes des héros oniriques obsessionnels, qui suscitent admiration et ferveur, comme John Wayne ou Sean Connery dans James Bond. Mais ce ne sont plus des modèles auxquels on puisse s'identifier, si ce n'est ludiquement et extérieurement. On voit même parfois, comme dans les *serials* des débuts du cinéma, l'acteur se fondre dans son personnage; ainsi James Bond est plus important que Sean Connery, comme Zorro ou Tarzan étaient plus importants que les acteurs interchangeables qui les interprétaient. D'autre part les films d'aventures tendent à réduire ou à viriliser le rôle de la star féminine, qui ne trouve son épanouissement que dans les films à thèmes amoureux-historiques.

Du côté du cinéma problématique, il y a le pôle réel ou

réaliste, où la star se dissout. Du côté du cinéma évasionnel, il y a le pôle mythologico-onirique, où la star demeure déesse mais cesse d'être modèle. La star déesse-modèle, clé de voûte du *star system* des années 1930-1960, semble en voie de dislocation. Certes les grandes stars vont de rôles en rôles, se trempant dans les films problématiques pour incarner le vécu de ce temps, puis retournant aux films évasionnels pour se baigner dans l'élixir de divinité : telle est la voie riche et incertaine que suivent les Bardot, Delon, Bronson, Claudia Cardinale, passant du film d'auteur au super-western, du problème psychologique contemporain à l'épopée mythico-historique. Chacune des grandes stars actuelles essaie de réaliser la synthèse ancienne par addition. Mais la tâche est difficile, incertaine, provisoire : c'est que le « pattern », le patron-modèle du cinéma standard et du *star system* n'est plus là, qui fournissait dès l'abord le cadre et les ingrédients de la synthèse. Parce que le cinéma s'est enrichi et diversifié, la réunion de qualités à la fois complémentaires et contradictoires devient de plus en plus difficile.

Enfin et surtout peut-être, la star n'est plus l'annonciatrice du bonheur. Le dogme du *happy end*, qui régnait sur l'ensemble de la production, s'est progressivement effrité. Le film problématique préfère une fin tragique ou évasive. Le film spectatoriel, certes, va souvent s'achever sur le châtiment des méchants et le triomphe des bons, sur la victoire du couple et de l'amour, mais même dans l'évasion, l'évasivité progresse. Ni *l'Odyssée de l'espace*, ni *Il était une fois dans l'Ouest*, ni *Lawrence d'Arabie* ou *la Planète des singes* ne se terminent sur un *happy end* véritable. Le film spectaculaire, quand il est historique ou tiré d'un roman doit respecter la fin déjà inscrite dans l'histoire ou le roman : *Love story* est, avec sa fin tragique qui aurait paru anti-hollywoodienne il y a dix ans, le type du film néo-hollywoodien. Du reste le *happy end* n'était tyrannique que parce qu'il était lié au film onirico-réaliste, à la star déesse-modèle, que parce qu'il portait en lui l'optimisme messianique de la conquête du bonheur. Or ce thème fondamental de la conquête du bonheur, qui était assumé pleinement par le film, la star et le *happy end*, ce thème même est, nous le verrons, menacé, altéré, rongé de l'intérieur. Et c'est de l'intérieur que la star se trouve comme vidée de la sève culturelle qui la nourrissait et dont elle nourrissait le monde.

Ainsi, dans le rétrécissement et l'hémorragie mythologique interne du *star system*, on aperçoit le crépuscule d'Hollywood devenu tout entier un gigantesque Sunset Boulevard. Ce n'est pas seulement la télévision qui s'installe dans les studios désertés, devenus musées, ou le cinéma évasionnel qui tourne désormais en Espagne, en Afrique, en Asie ou en Amérique latine. Ce n'est pas seulement la contre-culture qui s'installe à Los Angeles et noyaute, ici et là, Hollywood Boulevard et Sunset Boulevard. Ce n'est pas seulement le *smog*, la brume sale et grisâtre qui a chassé le ciel bleu de la gigantesque métropole californienne. Ce n'est pas seulement l'irruption du crime fou dans la luxueuse villa de Sharon Tate. C'est le dépérissement, l'étiolement de l'univers des stars, la mort des titans, les Gary Cooper, les Clark Gable, les Humphrey Bogart, qui ne laissent ni héritiers ni successeurs.

A Hollywood comme dans tous les hauts lieux des fêtes et des festivals, les stars de cinéma ne sont plus les souveraines de l'Olympe. Elles se fondent dans le Nouvel Olympe de la culture de masse, mêlées aux princes, princesses, rois et reines comme Elisabeth, Margaret, Paola, Hélène, Soraya, Farah Diba, Philip, le Chah, aux play boys comme Gunther Sachs, aux danseurs comme Noureev, aux nouvelles « idoles » de la musique rock et pop : les Beatles, Jack Lennon, Bob Dylan, Johnny et Sylvie.

Ces nouveaux olympiens ne sont plus des modèles mais des symboles. Ce ne sont plus les demi-dieux heureux : ils sont olympiens dans le sens déjà dégradé où Homère nous les montrait, soumis aux passions et tourments du commun des mortels, connaissant les infortunes conjugales et les rivalités mesquines, bien qu'ils restent doués d'une sur-personnalité. On ne voit plus désormais dans cette Olympe moderne l'image privilégiée du bonheur mais divorces, disputes, chagrins, échecs et dépressions. Comme dans les années précédentes, certes, ils demeurent en représentation sacrée permanente. Comme auparavant, l'on se nourrit de leurs vies ; mais on ne goûte plus à l'élixir prometteur de félicité ni à la belle vie par leur personne interposée ; on se nourrit de leurs drames, de leur misère et, dans le cas du culte sadico-larmoyant que leur vouent *France-Dimanche* et *Ici Paris*, on se venge même de leur grandeur en redemandant du suicide et du tragique. La litanie « ils vieillissent, ils souffrent » remplace l'ancien alléluia euphorique « ils sont heureux, ils jouissent ».

LE PROBLÈME GÉNÉRAL

Le flétrissement du *happy end*, le desséchement de la mythologie du bonheur chez les stars comme dans l'ensemble de l'olympe moderne, ne constituent pas un phénomène propre au cinéma. Comme nous le verrons dans un autre travail [1], c'est l'ensemble de la culture de masse qui passe lentement de l'euphorisation à la problématisation. Au mythe du bonheur succède le problème du bonheur.

1. *L'Esprit du temps*, nouvelle édition à paraître ultérieurement.

C'est que la culture de masse reflète, à sa manière, la problématisation qui s'attache progressivement à ce qui, durant l'époque précédente, était promesse de bonheur. Le couple-solution devient le couple-problème : qu'en est-il quand l'exaltation s'atténue, quand le désir s'estompe, quand apparaît la tentation? Le bien-être-solution devient lui aussi problème : la vie, propriétaire d'esclaves électroménagers, d'objets, de biens, de loisirs, est-elle pleinement heureuse? L'individualisme privé, valeur suprême, révèle ses carences. Insomnies, dépressions, troubles psycho-somatiques sont les premiers signes, équivoques, du malaise qui s'approfondit. Et, lentement, timidement, la culture de masse pose les problèmes de l'amour, du couple, du mariage, de l'adultère, de la sexualité, de la frigidité, de la maladie, du vieillissement, tous problèmes qu'elle exorcisait dans la phase précédente.

Ce malaise prendra soudain, dans la jeunesse bourgeoise la plus fortunée du monde, forme de révolte (Berkeley, 1963-1965) et de refus (Haigh-Ashbury, 1966-1967) avec la contestation étudiante et le mouvement hippie qui constituent les deux pôles d'une contre-culture naissante.

Ainsi l'époque est-elle caractérisée par un tournant de civilisation qui, dans ses aspects les plus avancés, se marque par un malaise, voire une crise véritable.

Et l'on comprend maintenant que la crise du *star system* n'est pas seulement un aspect de la crise spécifique du cinéma mais correspond à une problématisation au sein de la civilisation, qui entraîne la désintégration de l'euphorie culturelle. Il faut dire plus encore : c'est au cœur même du *star system* qu'éclate soudain la crise la plus radicale qui, en faisant sombrer définitivement la mythologie euphorique, va faire émerger le problème profond de la civilisation.

LA TRAGÉDIE DE MARILYN

L'univers d'Hollywood, durant la grande époque, était merveilleux parce que filtré, parfumé, euphorisé par les soins du *star system* et de la culture de masse. Les divorces en chaîne étaient le signe non d'échecs répétés mais de réussites successives; les déplacements ininterrompus étaient vus non comme instabilité et inquiétude mais comme merveilleux voyages; les parties quasi quotidiennes étaient perçues comme consumation et exaltation, non comme dérèglement ou débauche triste; les retraites fermées dans des résidences de luxe étaient isolement souverain, non solitude; les tentatives de suicide étaient camouflées, les hospitalisations avaient pour cause le surmenage et non la dépression — ou bien celle-ci n'était qu'un effet de celui-là.

La première grande tragédie, la mort de James Dean, n'est qu'un accident empirique (donc non significatif à ce niveau) intégré comme nécessité mythologique : cette mort vient du trop plein, non du manque.

C'est après 1960 que la machine du *star system*, qui transmutait le plomb en or et le fiel en miel, commence à s'enrayer, en même temps que progresse la problématisation générale. Le cinéma problématique fait alors une incursion dans le monde des stars, et y découvre le malheur et la névrose *(The godess)*. Mais le message reste limité au petit circuit du second cinéma. D'Italie vient un coup de sonde plus étonnant : il ne s'agit pas directement des stars mais l'*Avventura* d'Antonioni et surtout *la Dolce Vita* de Fellini nous révèlent soudain l'envers du décor, la pauvreté de la vie riche, la désolation des fêtes, et l'expression « dolce vita » acquiert soudain un sens dérisoire. Le monde des stars n'est pas atteint de plein fouet mais, progressivement, apparaissent les échecs, la solitude, la névrose, l'angoisse du vieillissement. Peut-être aussi le monde hollywoodien entre-t-il vraiment en crise, plonge-t-il plus profondément dans sa propre névrose? Alors que la star s'était toujours nourrie de son « double », de son image, peut-être les temps sont-ils venus où le double, au lieu d'apporter l'immortalité, devient un rappel de la mort, comme le portrait de Dorian Gray, le double hoffmannien ou dostoïevskien?

Toujours est-il que la star triomphante, celle qui avait connu et aimé le champion sportif, le grand écrivain, l'artiste étranger, celle qui pouvait être à la fois nue et reine, celle qui, orpheline, pauvre et rejetée, était devenue mondialement adorée et acclamée, celle qui était le sexe et l'âme, l'érotisme et l'esprit, celle qui semblait tout posséder, Marilyn Monroe se suicide.

Ce suicide, soudain, nous révèle, sans qu'on sache exactement ce qui est l'essentiel :
la vanité de tout succès;
sous la super-star, l'innocence désarmée de la midinette;
la tragédie de l'enfance et de l'adolescence que n'ont pu surmonter les succès, les amitiés, les amours;
derrière la gloire, la solitude;
un personnage de femme aimée-mal-aimée;
le divertissement devenu ennemi du bonheur;
le vide sous l'intensité;
le malheur de l'existence fardée;
l'aspiration irréalisée;
sous le plus éclatant sourire : la mort.

Cette mort qui nous stupéfie, nous qui pensions manquer de bien plus que ce qui manquait à Marilyn Monroe, cette mort qui nous atterre, nous qui, par millions étions prêts, si nous l'avions connue, à l'aimer et à l'adorer, cette mort

sonne le glas du *star system* [1]. C'est le démythifiant naturel,
la brèche par où s'engouffre la vérité : il n'y a plus de star-
modèle, il n'y a plus d'Olympe heureuse.

Mais la mort de Marilyn Monroe, qui tue le *star system*,
fait revivre la star. De même que la passion de James Dean
l'authentifiait comme héros de l'adolescence, la passion de
Marilyn Monroe va faire d'elle non seulement la dernière
des stars du passé mais la première star sans *star system*.

LE HÉROS PROBLÉMATIQUE

Le *star system* est mort, mais la star continue. Elle plonge
dans la problématique et s'exalte dans la mythologie. Sa
vie n'est plus solution mais recherche ardente, non plus
satisfaction mais soif. Parfois, elle naît du film problématique, d'où elle est catapultée en plein ciel mythologique. Ou
bien, née dans la super-production, elle cherche à s'intro-
duire dans le cinéma problématique. Du reste, ce sont les
films qui parviennent à emprunter au second cinéma son
caractère problématique, tout en gardant du premier le
caractère spectaculaire-mythologique, qui sont les films
privilégiés où s'épanouissent les stars actuelles. Les stars ne
sont donc plus des modèles culturels, des guides idéaux,
mais, simultanément, des images exaltées, des incarnations,
des symboles d'une errance et d'une quête réelle.

La star souffre beaucoup plus, et sur l'écran, et dans la

---

1. Presque en même temps, en France, Brigitte Bardot, dont la destinée est étonnamment parallèle à celle de Marilyn, tentait de se suici-
der également et ne devait qu'à la chance d'être sauvée. Elle aussi était
la plus belle, la plus adulée; elle aussi, par son geste, arrachait le voile
euphorique du *star system*.

vie (l'image qu'on donne de sa vie). Dans sa version non dégradée, elle incarne la recherche qui déjà commence à sourdre : celle de la vraie vie, de la vérité de la vie.

Bien sûr, nous l'avons dit, nous voyons resurgir dans l'ère nouvelle des stars épiques, des paladins qui renouent avec les héros-stars du muet. Mais, parmi les stars masculines, les héritiers de James Dean, les héros adolescents devenus adultes comme Marlon Brando, conservent les traces d'un tourment intérieur.

Finalement James Dean et Marilyn Monroe, stars-archétypes de la période précédente, sont aussi les stars matricielles de la période actuelle : James Dean, premier héros de l'adolescence et Marilyn Monroe, héroïne de la nouvelle féminité. Ce dernier point ne semble nullement évident — mais réfléchissons. Dans notre société où l'homme veut s'accomplir dans la *réussite*, la femme, depuis Mme Bovary jusqu'à Marilyn Monroe, cherche à s'accomplir dans le *vivre*. Le vivre, c'est-à-dire l'amour, la relation avec autrui, est dans notre société beaucoup plus important pour la femme que pour l'homme. Du reste, alors qu'aucune star masculine ne se suicidait (sauf en cas d'échec de sa carrière), c'est dans la réussite sociale, mais dans l'échec du vivre que Marilyn se tue.

Ainsi James Dean et Marilyn Monroe sont l'un l'incarnation adolescente, l'autre l'incarnation féminine de la difficile recherche du sens et de la vérité de la vie, de la communication, d'un rapport authentique avec autrui. Après James Dean, la culture juvénile se détachera de la culture adulte de masse, et son rameau le plus virulent deviendra contre-culture. Après Marilyn, la femme deviendra à son tour acteur historique dans la civilisation avec notamment le *Women's lib*. Et l'on peut dire d'une certaine manière que c'est le mouvement adolescent et le mouvement féminin qui fécondent, de l'extérieur, la star nouvelle. Celle-ci

ne joue plus un rôle culturel intégrateur comme au temps du
star system. Elle ne joue pas pour autant un rôle contestataire ou désintégrateur. Mais elle ne renvoie plus à une
image euphorique. Elle témoigne d'une insatisfaction, d'un
problème, d'une quête.

LES STARS SANS STAR SYSTEM

Tout du *star system* n'est certes pas aboli : publicités,
contrats, exhibitions subsistent; on peut même dire que
tous les ingrédients du *star system* persistent. Mais ils ne
sont plus combinés, associés, institutionnalisés. Le *star
system*, comme système auto-régulateur non seulement économique mais mythologique, n'est plus. Le *star system* qui
assurait au cinéma son plein emploi culturel a disparu. Le
star system qui établissait la synthèse de l'onirisme et du
réalisme, de la star-déesse et de la star-modèle, s'est effon-
dré. Certes, l'on imitera encore les stars, mais les modèles ne
seront plus forgés par le *star system*. Déjà, au cinéma, ces
modèles viennent d'ailleurs : les héros d'*Easy rider* ont été
extraits de la contre-culture juvénile, ce n'est pas le *star system* qui les a dessinés.

La star peut être un idéal, un symbole, une incarnation,
mais ce n'est plus l'image-guide éclairante, messianique d'une
civilisation. Les modèles se sont multipliés, ils ont émigré
aussi bien dans la culture de masse (presse, magazines,
télévision, publicité) que dans la contre-culture. Le cinéma
peut certes transmettre, amplifier de la culture — il ne forme
désormais que de l'art. Mais il reflète : la star moderne reflète,
incarne le cours nouveau, errant et problématique de la civilisation. Ainsi la décadence du *star system* correspond-elle

en quelque sorte à la décadence du rôle sociologique du cinéma. Celui-ci était le leader de la culture de masse; il devient, de plus en plus, un phénomène esthétique. La formation esthétique succède à la formation socio-culturelle.

Mais les stars continuent. Certes elles ne recouvrent plus qu'une partie du cinéma, et le secteur du cinéma sans stars s'est progressivement élargi. Certes elles ont perdu leur rôle sociologique majeur. Mais il y aura de nouvelles floraisons de stars, il y aura des personnalités fascinantes, qui susciteront mimétisme, rêve, amour; il y aura des identifications profondes, des transferts d'âme entre la salle et l'écran.

Bien plus : jusqu'à ces dernières années, les stars étaient consommées, consumées par leur époque. On aimait Marlène au temps de Marlène, Harlow au temps d'Harlow, Rita au temps de Rita, Marilyn au temps de Marilyn — mais les stars du passé étaient oubliées, anéanties, et leur souvenir faisait sourire...

Or voici venu le temps de la résurrection des stars disparues. Ici et là sont apparus les festivals Garbo, les rétrospectives Marlène et Marilyn. Certes une époque est morte lorsqu'elle ne revit plus que sur le mode esthétique. Mais ce qui revit alors, c'est précisément ce qui peut survivre en elle, son parfum, son charme... sa quintessence.

Le temps des grandes stars du passé est révolu. Mais, au moment où meurt le *star system*, la star que l'on croyait également morte acquiert cette survie qu'on nomme aventureusement en art immortalité. Garbo, Marlène, Marilyn ont acquis l'immortalité des poèmes, des lieder, de Phryné, de Cléopâtre. Elles traversent les années-lumière...

Annexes

Le comique et la star

1. Les idiots[1]

Bien des choses pertinentes ont été dites sur *Porte des Lilas*
On a notamment remarqué combien René Clair demeurait fidèle
à la tradition « française », combien René Clair demeurait fidèle
à lui-même en poussant ses personnages de « bons copains » à
s'accomplir définitivement en Juju. Clair plus clair que jamais,
plus gallique que jamais. Évidemment...

Mais il y a d'autres choses : *Porte des Lilas* est le premier film
« typiquement » français qui subisse aussi nettement une influence
« typiquement » italienne, celle du personnage de Gelsomina dans
la Strada. On sait que le souci de Gelsomina est de « ne pas être
inutile », et l'on se souvient de sa joie quand « le fou » lui révèle
que même un caillou sert à quelque chose. Gelsomina se prouve
à elle-même et prouve à l'univers son « utilité » en se vouant à
une brute dont le cœur finalement sera réchauffé par cette source
d'amour, longtemps après qu'elle se sera éteinte.

Juju, exactement comme Gelsomina, se croit inutile et se veut
« utile »; comme Gelsomina, c'est un simple d'esprit rejeté de
tous, méprisé par tous. Comme Gelsomina, son amour se fixe
sur le pire des individus. Comme Gelsomina, il gagne sa propre
vérité, sa « dignité », son « utilité » (le mot est à maintes reprises
employé, comme dans *la Strada*) dans un amour désintéressé et
total (entièrement asexué) pour un être qui, selon les critères de la
morale courante, « ne le mérite pas ».

1. *La Nef*, 1957.

De plus, à la faveur de ce personnage de Juju, frère de Gelsomina (et bien sûr fils de René Fallet), il semble que tendent à se
confondre le suburbain du néo-réalisme italien et le suburbain
du naturalisme-misérabilisme français, si différents photogra-
phiquement (l'un préférant la reconstitution en studios, l'autre le
décor naturel) et psychologiquement (qui a songé à identifier les
pavés mouillés de *Quai des Brumes*, *Dédé d'Anvers* d'une part,
Miracle à Milan et *la Strada* d'autre part, pourtant les mêmes ?).
Ainsi, il n'est pas incompatible d'être le « plus français des
réalisateurs français » et de subir une influence italienne. N'y
avait-il pas dans *Sous les toits de Paris*, *14 Juillet*, comme l'écho
assourdi de Kurt Weill et de Brecht ? Clair n'a-t-il pas été doué
du sens anglo-saxon typique, celui du *fantôme* (*Fantôme à vendre*, *Ma femme est une sorcière*) ? Le critère national est souvent
plus utilisable pour les œuvres de série que pour des réalisations
originales. René Clair, le bien Français, est aussi un des meilleurs
réalisateurs anglo-saxons connus ! Et avec *Porte des Lilas*, il
commence peut-être une carrière « italienne ». Contrairement au
préjugé fort répandu : le plus souvent au cinéma, la médiocrité
est nationale, et le talent cosmopolite. Pleurez, Sadouls et Bar-
dèches...

LE MENDIANT FAIT LA CHARITÉ

Il y a plus : « l'idiot », héros central depuis une décade de
maints films néo-réalistes italiens (Toto il Buono de *Miracle à
Milan*, le G.I. noir de *Paisa* et *Senza Pieta*, Gelsomina et il Matto
de *la Strada*) devient, dans *Porte des Lilas*, héros central du film
naturaliste-misérabiliste français, éclipsant le hors-la-loi (déser-
teur, aventurier, mauvais garçon ou déclassé).
Si nous cherchons la généalogie de cet idiot-misérable, misérable parce que pauvre, vagabond, rien du tout, « idiot », au sens
« dostoïevskien » du mot parce qu'innocent, simple d'esprit,
enfantin, asexué, nous trouvons évidemment Charlot, et, par-

delà l'imaginaire cinématographique, les simples d'esprit de Faulkner et de Steinbeck.

Si nous élargissons encore, et si nous considérons l'idiot dans son acception large d'innocent, nous découvrons tous les héros comiques, tous les enfants héros de films, et il nous apparaît alors que, si l'on excepte le jeune premier classique, l'idiot est avec l'aventurier un des deux personnages clés du film occidental.

C'est qu'il fixe sur lui des besoins essentiels : il joue le rôle de bouc émissaire, de victime expiatoire, de souffre-douleur, et, dans les cas les plus élaborés et les plus épurés, il n'est plus seulement comique, mais aussi pathétique et fraternel, douloureux, jusqu'à devenir agneau mystique (Gelsomina ou Toto il Buono, par exemple). Alors l'innocent apporte un évangile d'amour à peine formulé mais évident; son martyre ou son sacrifice ont un caractère rédempteur...

Dans la gamme des innocents, l'idiot-misérable, ou plutôt misérabiliste, est sans doute le plus curieux : en effet, il a le don d'émouvoir jusqu'aux entrailles boutiquiers, fonctionnaires, industriels, officiers, employés et autres qui n'ont que répulsion et crainte pour les Charlot, Gelsomina et Juju de la vie réelle. Miracle : tous ces petits-bourgeois qui hors de la salle détournent leurs regards du mendigot, ont pu, par la magie d'identification, *être* ce mendigot lui-même, l'espace d'une heure et demie. Les beaux habits des Champs-Élysées auront été Juju au long des semaines d'exclusivité. Opération extraordinaire que celle qui réveille Juju tapi au fond de nous, et dont nous ignorons absolument l'existence.

C'est que, à notre avis, le personnage de l'idiot misérabiliste provoque un double phénomène. Innocent, il nous purifie de notre méchanceté; il éveille télépathiquement notre innocence prisonnière à l'intérieur de notre personnage sociologique; il est comme une âme-chien qui lèche la saleté de notre âme (et nous nous sentons nettoyés, lumineux). Misérable, il s'adresse à un sentiment extraordinairement fort chez celui qui n'a jamais connu la misère, et qui est la nostalgie de la misère. Il n'y a pas que le fils à papa qui aime jouer au fauché. Il y a le papa lui-même qui se rêve mendigot avec la même volupté que le mendigot qui se rêve millionnaire.

Le cinéma est l'accoucheur de ces rêves. De plus, il leur donne visage. Et ainsi, le riche qui a toujours envie d'être pauvre, non pas réellement pauvre, mais mythiquement pauvre, à la façon du vagabond mythique de cinéma, vit par procuration une vie de clochard. Le misérabilisme en ce sens (il a, n'oublions pas, d'autres sens) comble la grande nostalgie du non-miséreux, du bourgeois petit ou grand. On comprend dès lors que l'idiot-misérable de même que l'enfant, de même que le vagabond (mais pratiquement jamais l'ouvrier qui vit, lui, à l'intérieur des cadres sociaux, et non dans la liberté mythique de l'en-dehors), de même que l'aventurier, cow-boy, gangster, explorateur *représente les valeurs socialement négatives, mais oniriquement positives d'une civilisation bourgeoise et d'un public petit ou grand bourgeois.*

Il est certes plus facile pour le spectateur de s'identifier avec un aventurier téméraire, voire un gangster viril qu'avec un idiot ridicule. Et l'idiot, de ce fait, demeure le plus souvent bouffon comique, dont on se distancie perpétuellement par la décharge électrique du rire. Mais en partant de Charlot, en suivant *La Strada*, on arrive, en franchissant une frontière, *Porte des Lilas*. Idiot inachevé dans ce dernier cas, puisque le film se termine sur un demi *happy end* semi-conventionnel et non sur l'immolation de Juju.

Mais Juju est quand même, en son âme, un idiot mystique, un misérable. Et par lui, une fois de plus, l'écran, cette extraordinaire rétine imaginaire, inverse l'image de la vie réelle : *c'est le mendiant qui donne la charité.*

2. Le mystère Charlot

La star est le produit d'une dialectique de la personnalité : un acteur impose sa personnalité à ses héros, ses héros imposent leur personnalité à un acteur ; de cette surimpression naît un être mixte : la star.

Cela signifie que l'acteur apporte son capital de personnalité propre : nous avons vu, pour la star féminine, que la beauté pouvait être un support éventuellement nécessaire et suffisant de personnalité, et de plus, que la beauté, comme la personnalité, pouvait être fabriquée.

La beauté masculine ne dépend pas des fards, maquillages, coiffures, chirurgies, etc., comme la beauté féminine. Elle est moins fréquemment déterminée par la délicatesse, la régularité, l'harmonie des traits. Par ailleurs, alors que la personnalité de la star féminine est presque uniquement fonction d'un archétype d'amoureuse, celle de la star masculine est beaucoup plus liée aux qualités proprement héroïques : le héros masculin ne combat pas seulement pour son amour mais contre le mal, le destin, l'injustice, la mort.

Ceci dit, star féminine et star masculine détiennent des qualités premières sur lesquelles se développent naturellement les processus d'idéalisation et de divinisation.

Mais ces qualités premières sont absentes d'une catégorie particulière de stars, et non la plus négligeable, les stars comiques. Les héros qu'elles incarnent, laids, timides, hâbleurs, ridicules, sont le contraire des héros. Et pourtant, sur un registre certes tout différent des stars d'amour, les stars comiques sont elles aussi « idoles des foules ». Parmi elles est née la plus grande de toutes les stars, si grande qu'elle fait éclater le *star system* : Charlie Chaplin.

Comment peut-on « idolâtrer » des bouffons et des ridicules, des anti-idoles ? Comment s'impose aux foules la personnalité des stars comiques ? Les héros comiques sont apparemment les négatifs des héros tout court, les stars comiques sont apparemment les caricatures des stars pathétiques. Mais peut-être, en dépit des oppositions évidentes, puisent-ils les uns et les autres leurs vertus à la même source mythique ?

Les stars comiques sont issues d'un des genres les plus originaux de l'histoire du cinéma, qui s'épanouit à partir de 1912-1914 (1912 : première comédie de Mac Sennett : *Cohen à Coney Island*) jusqu'aux débuts du parlant. Après la mort de la *slasptick comedy*, les héros comiques ont survécu avec plus ou moins de bonheur dans les Fernandel, Danny Kaye, Bourvil, etc.

Les héros comiques de la *slasptick comedy* sont de toute évidence ceux qui reçoivent les coups de pied au cul, les coups de bâton, les tartes à la crème plus qu'ils n'en distribuent : ce sont essentiellement des persécutés. Le monde les persécute en effet. Il leur arrive tous les malheurs possibles. Ils attirent et fixent le guignon et le mauvais sort. On aurait pitié et chagrin de leurs souffrances si, précisément, nous n'en riions pas.

Les héros comiques sont ahuris, naïfs ou idiots. Du moins apparemment, car leur crétinisme ne fait qu'exprimer leur innocence fondamentale. Innocence quasi infantile, d'où leur familiarité avec les enfants *(Charlot et le Kid)*.

Innocent, le héros comique ne comprend pas ce qui se passe. Il croit voir le bien là où est le mal, le salut là où est la perdition (cf. le thème du gangster malgré lui). Innocent, il obéit à ses impulsions immédiates. Il se précipite sur les buffets, il caresse tout ce qui lui semble joli, il traduit tous ses désirs en actes. Il touche aux choses interdites. Comme l'a dit Enrico Piceni (Guirlande pour Charlot, dans *Rouge et Noir*) : « Nous obéissons à notre conscient, Charlot obéit à son subconscient. »

Aussi le héros comique piétine-t-il les petits tabous de la vie sociale. Il jette sa cendre de cigarette dans le corsage d'une dame, il marche sur sa robe, etc. Mieux : le héros comique viole les tabous de la propriété (il vole) et de la religion (il se déguise en pasteur et officie), ce qui le met hors de la règle, hors la loi. Charlot le vagabond, toujours poursuivi par les policemen, est comme tous les grands héros du cinéma, mais à sa manière risible, un hors-la-loi.

Le héros comique ignore les censures. Son innocence d'enfant le pousse aussi bien à une bonté qu'à une malice anormales. Il est bon, parce qu'il obéit à tous ses bons sentiments mais il est aussi amoral. Charlot vole toujours sans scrupules. Il est même innocemment cruel et se plaît à frapper la jambe douloureuse d'un malade paralysé par la goutte.

Monsieur Verdoux, qui cesse d'être un héros de *slasptick comedy*, ne fait qu'en développer les virtualités : il va en toute amoralité innocente, jusqu'à réaliser ses souhaits de meurtre (comme le héros de *Noblesse oblige*). Plein de bonté, d'amour, de dévouement pour celles qu'il aime, il assassine avec une non-chalante candeur celles qui lui déplaisent.

Le héros comique est également un innocent sexuel, comme l'ont bien marqué Leites et Parker. Il est dépourvu des caractères psychologiques de la virilité (courage, décision, hardiesse à l'égard des femmes) et manifeste souvent des signes d'effémination. Il se déguise souvent en femme. Menacé par de redoutables mala-bars, il fait de petites minauderies (Charlot, Fatty). Charlot, effrayé, ébauche des gestes séducteurs, se tortille, fait des moues (réciproquement l'héroïne comique est plutôt phallique, *sex hungry female*, comme Betty Hutton). Le héros comique est toujours maladroit avec la jeune fille : il n'ose pas l'embrasser alors qu'elle lui offre ses lèvres.

Toutefois, ce héros asexué est très souvent amoureux. Son amour est sublime parce qu'il n'est pas fondé sur la domination et l'appropriation sexuelles, il est don total de soi-même, comme l'amour enfantin, le dévouement canin.

Enfin, le héros comique, mû par ses impulsions, agit comme un somnambule. Le visage de Buster Keaton, la démarche auto-matique de Charlot trahissent une « possession » quasi hypno-tique. Cette possession qui leur fait faire toutes les gaffes pos-sibles, peut aussi les conduire au triomphe final. A force de gaffer, par ses gaffes mêmes, le héros comique peut vaincre ses ennemis, et même séduire la femme qu'il aime. Ainsi Bourvil dans *le Trou normand*, veut échouer à son examen de certificat d'études, et, à la question : « Quelle est la femme de Louis XVI ? », persuadé que c'est Catherine de Médicis, répond Marie-Antoinette.

Le héros comique vit toujours les mêmes situations et assume toujours les mêmes rôles. Dans ce sens il est encore très proche des fous, bouffons, clowns dont il est l'héritier. Mais il est proche également des innocents martyrs, porteuses de pain, orphelins, vierges des mélodrames. *Son innocence le voue au sort purificateur de souffre-douleur, mais sur le registre du risible.* En dernière analyse, il joue le rôle quasi sacré des victimes purificatrices et des boucs émissaires. Les victimes les pius efficaces sont les plus innocentes. Le héros comique est innocent comme Isaac, Iphi-génie, l'Agneau mystique. Souffre-douleur, il reçoit coups et

outrages. Il pâtit en permanence pour autrui. Son supplice dé-
chaîne les rires, aussi ou plus libérateurs que les larmes. Sujet
d'une possession qui le dépasse, le héros comique représente,
non pas le profane, mais le négatif du sacré, le profané.

Le héros comique est donc une variante du héros purificateur,
du martyr rédempteur. Du reste, si son tragique est ridicule, son
ridicule peut devenir tragique, et implique même un tragique
permanent. D'où le thème très fréquent du « Ris donc Paillasse! »
du clown qui pousse des grands éclats de rire pour mieux cacher
ses sanglots. Ce thème met à nu notre obscure conscience du rôle
profondément douloureux qu'assument les bouffons. Du reste,
les Charlot, Fernandel, Raimu deviennent aisément les plus
pathétiques acteurs de cinéma. Ceux qui savent nous faire rire
aux larmes savent le mieux nous faire pleurer.

Le héros comique est donc bien un héros, au sens plein du terme.
La star comique est donc possible, non seulement parce que
l'acteur est contaminé par son rôle en même temps que son génie
personnel détermine ce rôle beaucoup plus fortement que ne sont
déterminés les autres rôles de cinéma, mais parce que sa personnalité s'investit dans la fonction sacrificielle du héros comique.

Cette sacralisation particulière, qui se dissout sans cesse dans
le rire profane, se reconstruit sans cesse dans l'immolation du
souffre-douleur. Si éloignée qu'elle semble d'une divinisation,
elle y tend d'une manière dialectique... Charlie Chaplin nous le
révèle : dès les années vingt, le génie de Chaplin nous fait sentir
simultanément l'aspect risible et l'aspect douloureux de Charlot.
Toute l'évolution, de Charlot à Calvero, sera un approfondisse-
ment de plus en plus conscient d'un personnage sacrificiel saisi
à sa source humaine véritable.

Par nature, le film comique ignore, non pas certes le maccha-
bée, le squelette, le fantôme, mais la mort. De plus, au cours de
son évolution, et pour des raisons que nous avons déjà indiquées,
il s'oriente vers le *happy end*, c'est-à-dire l'escamotage final du
sacrifice du héros. Charlot, au contraire (et exception faite des
Temps modernes) s'engage dans le sens logique du sacrifice :
céder la place à un autre, être abandonné par celle qu'il aime,
et enfin mourir.

Par ailleurs, le héros comique, et en partie sous l'influence de Charlot, acquiert un caractère chevaleresque. Dans la tradition pré-cinématographique, le pitre s'oppose au chevalier, Sancho Pança à Don Quichotte. Le cinéma, et il s'agit là d'un phénomène massif de démocratisation, tend à transférer sur le héros comique un rôle chevaleresque. Charlot continue la tradition du pitre, de l'esclave, tremblant et s'effrayant de son ombre, mais quand l'exige l'amour, il est le défenseur des belles menacées et les sauve. Comme le fait remarquer Tyler Parker, Charlot est un curieux mélange de Don Quichotte et de Sancho Pança. Danny Kaye, Fernandel, etc., sont également des petits chevaliers bouffons.

Mais Charlot, en assumant le rôle de chevalier, tend à se muer de purificateur en rédempteur. De bouc émissaire, il se transforme en dieu d'amour qui se sacrifie pour autrui.

Par l'amour et pour l'amour, Charlot va accepter puis chercher le sacrifice. De Charlot à Calvero, le développement se poursuit, implacablement, jusqu'à l'auto-immolation.

Déjà, dans *le Cirque*, Charlot s'effaçait, livrant les autres à un bonheur acquis grâce à lui. Dans *les Lumières de la ville*, il se laisse emprisonner, privé de la lumière et du jour, pour que la petite aveugle puisse la découvrir. Charlot se voue naturellement à la femme infirme, aveugle ou paralysée, à la jeune fille désespérée, à l'enfant, infirme social. Chaque fois son sacrifice rejaillit en salut, vie nouvelle, résurrection pour autrui.

Dans *Monsieur Verdoux* apparaît pour la première fois l'accomplissement immolateur du sacrifice : la mort. *Limelight* fait épanouir d'une façon sublime le thème essentiel de la rédemption et du sacrifice qui éclaire rétrospectivement la mort de Verdoux, la solitude du vagabond, les rossées, les coups de bâton subis par tous les Charlots et par tous les pitres depuis le début ¦des temps.

Calvero pourrait être heureux avec Terry, elle lui répète qu'elle l'aime, il le sait. Elle veut le garder, mais il lui répond : « Je dois poursuivre ma route, c'est une loi. » Il se sacrifie volontairement, consciemment, pour libérer la jeunesse et la vie de leurs chaînes.

C'est dans et par la pitrerie que Calvero devient sauveur et rédempteur. Et, « quand la caméra s'éloigne de Calvero mort en coulisses, et qu'elle rejoint sur la scène la ballerine dansant malgré son chagrin, le mouvement de l'appareil paraît suivre le transfert des âmes. » (André Bazin). Il s'agit bien de ce transfert propre à tout sacrifice, la fécondation de la vie par la mort, par le don total de soi.

Ainsi, l'évolution de Chaplin nous démontre quasi exemplairement que le bouc émissaire purificateur de la *slasptick comedy* porte en lui les germes d'un héros qui se sacrifie, disons même d'un dieu qui meurt et sauve. Osons employer le mot dieu : Chaplin lui-même, il y a cinq ans, envisageait un film qui jette une ultime lumière sur notre propos : dans un music-hall, le rideau se lève sur trois croix. On voit les soldats romains qui crucifient Jésus. Tout le monde applaudit, mais c'était Jésus en personne qui était immolé... Charlot-Calvero, qui fait voir les aveugles et marcher les paralytiques, tendait déjà obscurément vers Jésus.

Le héros comique est donc, lui aussi, héros qui se charge du mal pour purifier autrui. Il détient virtuellement un pouvoir mythique et sacré. On ne l'aime pas seulement parce qu'il nous fait rire. Il nous fait rire pour qu'on l'aime.

On comprend dès lors que le comique soit une des voies qui mènent au ciel des stars. Mais la starité comique a ses caractères propres, déterminés par l'ambivalence du profane et du sacré, du ridicule et du pathétique, du mépris et de l'amour. Les foules cinématographiques aiment le héros comique non pas amoureusement, mais selon une autre ferveur, plus complexe, plus riche peut-être. Le rire est aussi fort, aussi profond que la beauté.

Ava Gardner [1]

Ava Gardner, petite vendeuse de Prisunic, petite american girl, révélée par *les Tueurs* de Siodmak, a été fabriquée dans les moules hollywoodiens, mais elle les fera tous éclater. On peut distinguer deux étapes dans sa carrière : la carrière normale jusqu'en 1952, la carrière extra-ordinaire, après 1952.

Durant sa carrière hollywoodienne, Ava Gardner interprète en partie des rôles de *good-bad-girls* — filles apparemment mauvaises mais qui à la fin du film révèlent la pureté de leur âme —, en partie des films exotiques. Mais déjà, un peu comme pour Jennifer Jones, un accent inhabituel, passionné et sensuel, une sorte d'étrangeté, caractérisent ses personnages. Ses rôles ne sont pas parfaitement hygiéniques : ils n'ont pas ce dosage exact de spiritualité et de sensualité qu'Hollywood a mis au point depuis 1940. On y sent, soit des épices érotiques un peu trop fortes, soit un peu trop de violence d'âme.

ELLE FAIT CRAQUER HOLLYWOOD

Dans *Passion fatale* (*The Great Sinner*, Robert Siodmak, 1949), Ava Gardner est la fille d'un général russe qui épousera un joueur, lequel n'est autre que Dostoïevski [2]. Dans *Mon passé défendu*

1. Extrait de *la Nef*, février 1958.
2. Il s'agit d'une biographie romancée de Dostoïevski, inspirée du *Joueur*.

(*My forbidden Past*, Robert Stevenson, 1951), Ava est une fille
de la Nouvelle-Orléans, d'origine française, Barbara Beaurevel,
dont la passion utilise les pires moyens. Dans *Show Boat* (George
Sidney, 1951), Ava-Julia est une chanteuse qui a du sang noir
dans les veines, boit, va de cabaret en cabaret. Dans *l'Étoile du
destin* (*Lone Star*, Vincent Sherman, 1952), Ava est une journaliste d'origine espagnole, Martha Ronda, qui s'oppose à la réunion du Texas aux États-Unis. Finalement elle se rangera du
côté américain par amour pour Clark Gable. Dans *l'Ile au complot* (*The Bride*, Byron Haskin, 1952), Ava est la femme d'un
aventurier, donc liée sexuellement à un homme mauvais. Mais
après la mort de son mari, elle partira avec le héros.

Dans tous ses rôles donc, Ava Gardner fait craquer en quelque point les coutures du parfait archétype hollywoodien d'héroïne. Elle est, sauf une exception, exotisée, et, la plupart du
temps, latinisée, tropicalisée, voire un peu négrifiée *(Show Boat)*.
Il semble que cette exotisation soit une exorcisation comme si
Hollywood voulait exorciser la négritude latente d'Ava Gardner
(ses lèvres épaisses, sa chevelure brune, l'impudente et impudi-
que beauté de son visage, son rayonnement animal). Mais l'exorcisation n'est que partielle : Ava Gardner n'est pas reléguée aux
rôles, devenus secondaires, de vamps. C'est qu'elle a aussi une
présence d'âme souveraine, altière. Elle est aussi bien pureté
que sensualité. Et c'est pourquoi, sans doute, Siodmak la retint
pour un rôle dostoïevskien, rédempteur et noble, celui de Pauline
dans *The Great Sinner*.

NAISSANCE D'UNE DIVINITÉ

Mais déjà, dès 1948, Hollywood a senti qu'il y avait dans la
double souveraineté, souveraineté d'âme et de corps d'Ava,
cette puissance mythique qui crée la divinité. Aussi, dans *Un caprice
de Vénus* (*One Touch of Venus*, William Seiter, 1948), Ava Gardner est-elle la déesse Vénus, descendue de l'Olympe, dont tous

les hommes tombent amoureux. Mais comme Hollywood, pour des raisons que j'ai analysées dans une autre étude, ne peut plus situer ses divinités au niveau mythologique de la haute époque, ce film n'est qu'une fantaisie musicale à la Ludovic Halévy modernisée par Broadway.

Tout le problème finalement est là. La personnalité d'Ava Gardner postule des rôles de *divines* au sens où Greta Garbo fut une divine. Ces rôles, les scénarios de type courant ne peuvent plus les prodiguer. Les stars de notre époque (en gros depuis 1938-1940) ne peuvent plus faire éclater les standards moyens adaptés aux nouveaux besoins d'identification du public.

En même temps qu'Hollywood étouffe les virtualités cinématographiques d'Ava Gardner, Ava Gardner, femme, étouffe dans Hollywood. A partir de 1951, au gré de ses amours, elle voyage. Elle se cosmopolitise. Du coup, la plupart de ses films sont tournés hors des U.S.A. La carrière extraordinaire d'Ava Gardner commence avec *Pandora*, film anglais d'Albert Lewin, tourné en Espagne (1951).

Le sujet de ce film, par rapport aux scénarios actuels, est littéralement extravagant : il unit le mythe de Pandora et celui du Hollandais volant. Pandora, superbe créature, est *à la fois folle de son corps et folle de son âme.* Tous les hommes qui l'approchent deviennent ses adorateurs. Elle leur impose des épreuves extraordinaires ou ils se les imposent par amour pour elle. Le poète Reggie Demarist se suicide en l'écoutant chanter. Stephen Cameron précipite à la mer sa voiture de course. Les amants de Pandora se succèdent. C'est une femme qui, chose exceptionnelle sur l'écran, aime faire l'amour et cherche à faire l'amour. Mais, comme Don Juan, aucune de ses aventures ne l'assouvit. Ce qu'elle cherche, c'est l'amour absolu, l'amour impossible, celui qui ne se réalise que dans la mort. C'est alors qu'elle rencontre un mystérieux navigateur, qui n'est autre que le Hollandais volant, condamné à errer depuis trois siècles jusqu'à ce qu'il trouve une femme qui veuille mourir pour lui. Pandora mourra, par amour pour ce fantôme.

Comme dit Hendrick, le Hollandais volant, « *Pandora, l'originelle génératrice, est l'œuf duquel à l'aurore du monde la race humaine est sortie... la déesse secrète que les hommes de tous les temps ont désirée...»* De *A touch of Venus* à *Pandora*, Vénus-Ava se dépouille des attributs profanateurs de l'opérette pour devenir la grande déesse mère du *De Natura Rerum*, qui s'incarne fantastiquement dans le cadre réaliste du film occidental, et fait éclater ce réalisme sous sa poussée mythique.

LA FEMME TOTALE

Avec *Pandora*, Ava Gardner réalise enfin ce qui n'apparaît qu'à l'état fragmentaire, atrophié ou allusif dans ses films antérieurs. Elle se révèle dans sa plénitude féminine, c'est-à-dire à la fois la plénitude de la passion, de la sexualité et de l'âme, mais cette plénitude est déchirée : entre les besoins sexuels et les besoins de l'âme, il y a un divorce radical. Aucun des amants d'Ava ne lui apporte l'amour. Celui qui lui révèle enfin le véritable amour n'est qu'un spectre.

Autrement dit, Ava-Pandora est pour nous, spectateurs, la femme totale, qui vit totalement selon l'âme et le sexe. C'est une femme qui peut être à la fois aimée comme une sœur ou une mère, et désirée comme une amante ou une prostituée. Mais Ava-Pandora vit, pour elle, la contradiction entre l'âme et le corps. L'assouvissement de l'un se fait au détriment de l'autre. Ou plutôt ni l'un ni l'autre ne peuvent être vraiment assouvis, si ce n'est dans la mort, symbole suprême de l'amour.

Par ces traits Ava-Pandora nous apparaît non seulement comme une sorte de grande Vénus mythique, ou si l'on veut de divinisation de l'éternel féminin, elle est aussi l'image de la femme moderne qui cherche le bonheur, l'épanouissement conjugué de son âme et de son corps dans un monde qui ne satisfait qu'à demi l'un et l'autre... Elle se différencie dès lors radicalement des autres stars : la star hollywoodienne est sexy, mais elle ne vit pas selon la sexualité; *on ne la voit jamais émue érotiquement par un autre que le héros du film*, même quand elle est la compagne ou l'épouse d'un tiers (c'est le cas de Gilda). La star des films d'Hollywood appelle la sexualité des hommes, mais reste indifférente au sex-appeal qu'elle provoque. Elle est vouée uniquement à la recherche d'un amour mi-spirituel mi-sexuel qu'elle trouvera dans son union finale avec le héros. La star d'Hollywood est donc à la fois âme sage et sexe sage, femme édulcorée et petite déesse pot-au-feu. Alors qu'Ava-Pandora est pleinement spirituelle et pleinement sexuelle, femme authentique et héroïne en quête d'absolu...

UNE LONGUE CARRIÈRE

Après *Pandora*, il y a *les Neiges du Kilimandjaro* (Henry King, 1952), *Vaquero* (Stephen Ames, 1953), *Mogambo* (John Ford, 1954), *les Chevaliers de la Table ronde* (Richard Thorpe, 1954), *la Comtesse aux pieds nus* (Mankiewicz, 1955), *le Soleil se lève aussi* (Henry King, 1956).

Selon que ces films sont plus ou moins engagés dans les séries hollywoodiennes, la personnalité d'Ava Gardner est plus ou moins mutilée. *Vaquero* réintroduit Ava dans un rôle analogue à celui de l'*Ile au complot*. Cordelia-Ava, femme de Cameron, est amoureuse de Rio (R. Taylor). Elle lui fait des avances, mais finalement restera avec son mari après la mort de Rio. Si hollywoodien que soit ce film on retrouve, affaibli et voilé, le thème du divorce entre l'impossible amour et la vie sexuelle. Le *happy end* camoufle mal l'irruption du thème antihollywoodien de la mort qui frappe, — non pas le mari-obstacle comme dans *l'Ile au complot* — mais le héros aimé.

Mogambo ne donne à voir que la sexualité d'Ava Gardner tandis que *les Chevaliers de la Table ronde* n'en filtre que la spiritualité. Dans *Mogambo*, Kelly-Ava, sensualité brune, s'oppose à Linda (Grace Kelly), spiritualité blonde. Finalement le héros, Vic (Clark Gable) vivra avec Ava. Entorse au *happy end* hollywoodien selon laquel la jeune fille qui a de l'âme doit triompher de la femme qui a du tempérament. Dans *les Chevaliers de la*

Table ronde, par contre, Ava Gardner était la reine Guenièvre, femme d'Arthur, qui voue à Lancelot un amour essentiellement spirituel (type hollywoodo-médiéval).

En rassemblant les fragments d'Ava épars dans *Vaquero*, *Mogambo*, *les Chevaliers de la Table ronde*, nous pouvons reconstituer la véritable Ava Gardner : Pandora.

Il a fallu ou bien des scénarios tirés d'Hemingway ou bien l'intelligence amoureuse de Mankiewicz pour qu'Ava Gardner trouve des rôles qui l'expriment véritablement. Dans *les Neiges du Kilimandjaro*, Cynthia-Ava est à nouveau la déracinée cosmopolite de Pandora, la fille ardente qui cherche le bonheur, qui connaît les hommes (elle est enceinte et se fait avorter, ce qui est inconcevable dans les films courants d'Hollywood), qui ne pourra réaliser le véritable amour... Elle sera séparée de Harry (Gregory Peck), l'homme qui l'aime et qu'elle aime. Elle le retrouvera un instant, pendant la guerre d'Espagne, avant d'être tuée par un obus.

LES AMOURS IMPOSSIBLES

La Comtesse aux pieds nus est, avec *Pandora*, le plus beau film d'Ava Gardner. Harry (H. Bogart) découvre à Madrid une jeune sauvageonne Maria Vargas (Ava Gardner). Il la transforme en star d'Hollywood. Au cours de sa carrière, Maria ne cessera pas d'avoir des liaisons d'une nuit. Avec Harry, ce sera toujours la plus profonde amitié. Enfin, Maria découvrira l'amour qu'elle n'avait cessé de chercher : elle rencontre le comte Torlato-Favrini (R. Brazzi). Mais celui-ci lui avoue, la nuit de noces, qu'il est impuissant. Pour lui donner un enfant, Maria s'offre à un autre homme. Torlati-Favrini les surprend et les tue.

Dans *le Soleil se lève aussi*, comme dans *la Comtesse aux pieds nus*, la même impossibilité physique sépare Ava Gardner de celui qu'elle aime : il est impuissant. C'est le même besoin qui la pousse vers les hommes. Mais cette fois Darryl Zannuck a voulu laisser espérer un *happy end* : les deux héros entrevoient l'apaisement résigné, la paix des sens, le triomphe de la spiritualité...

Il est curieux que dans les trois films les plus gardneriens, *Pandora, la Comtesse aux pieds nus* et *le Soleil se lève aussi*, l'on retrouve la même situation symbolique. Ava Gardner, femme totale, déchirée entre la sexualité — représentée par le toréador, personnage mythiquement hyper-viril, identifié au taureau qu'il combat et met à mort — et la spiritualité — représentée par l'homme impuissant *(la Comtesse aux pieds nus, le Soleil se lève aussi)* ou fantôme *(Pandora)*. De même ce n'est pas uniquement le hasard qui fixe en Espagne l'action principale de ces trois films. Ava Gardner est hispanisée naturellement parce que c'est le caractère espagnol qui synthétise le mieux passion, fierté, noblesse, grandeur d'âme et sensualité.

Fabriquée par la machine hollywoodienne, Ava Gardner s'en affranchit, comme les superbes androïdes de science fiction s'affranchissent des hommes et des machines qui les ont créés [1]. Comme ces androïdes, elle est plus humaine que l'humain, plus belle, plus sensible, plus noble...

Ava Gardner retrouve l'allure de quelques-unes des grandes stars de la haute époque. Comme chez ces divines, la vie réelle et la vie cinématographique d'Ava sont de même nature. Avec en plus cette plénitude d'humanité qui est l'acquis de notre basse époque où le mythe devient réaliste.

Aussi, Jacques Siclier a-t-il pu justement écrire, au sujet de la statue d'Ava-Maria, de *la Comtesse aux pieds nus* [2] : « *Sa statue restera dans le cimetière comme un hommage à sa beauté anachronique. Les femmes mythiques ne sont plus de ce monde. L'Amérique qui les a créées les défait et les piétine... Mankiewicz a redonné à Garbo sa dignité perdue, il n'a pu la faire revivre.* »

En effet, Ava Gardner est trop grande pour un Hollywood rétréci. C'est une reine désormais sans royaume, ses sujets sont épars dans le monde... Ils aiment en elle la beauté d'une déesse, le déchirement d'une héroïne, la plénitude de la féminité.

---

1. Cf. *Dans le torrent des siècles*, de Clifford Simac.
2. Le mythe de la femme dans le cinéma américain.

Repères chronologiques

1895	Naissance du cinématographe.
1895-1908	Le langage du cinéma s'élabore, de Méliès à Griffith Le cinéma est sans héros et sans vedettes.
1908	Des héros de films s'imposent : Nick Carter. Des vedettes de théâtre sont introduites dans le film. *Assassinat du duc de Guise*.
1912-1914	Premiers grands films : *Cabiria*. Floraisons de vamps dans le cinéma danois. Floraisons de « femmes fatales » dans le cinéma italien (les « divas » Lyda Borelli, Francesca Bertini, etc.). Mary Pickford devient star. Zukor fonde la « Famous Players ». Les stars s'imposent dans le cinéma. La vamp s'acclimate aux U.S.A. (Theda Bara). Premières installations de studios à Hollywood.
1915	Un nouveau style d'acteurs : Sessue Hayakawa dans *Forfaiture* (C. B. de Mille). Charlot s'impose (série Essanay). « *Naissance d'une nation* », première super-production américaine (Griffith).
1916-1918	Épanouissement du cinéma américain. Le western s'impose.
1918-1926	Essor du film suédois (Sjostrom : *la Charrette fantôme*, 1920). Essor du cinéma allemand (Wiene : *le Cabinet du docteur Caligari*, 1920). Avant-garde française : Abel Gance (*la Roue*, 1923). *Le Cuirassé Potemkine* (Eisenstein), *la Mère* (Poudovkine), premiers chefs-d'œuvre du film soviétique, 1926. Hollywood devient le centre dominant de la production mondiale. Apogée du star system : Rudolf Valentino,

Douglas Fairbanks, Lon Chaney, John Gilbert, Wallace Reid, Mary Pickford, Gloria Swanson, Norma Talmaldge. Clara Bow, Pola Negri, Greta Garbo.

1927   Le premier film parlant : *le Chanteur de jazz* (A. Crossland) Greta Garbo dans *la Chair et le Diable* (Clarence Brown).

1929-1930   Le parlant devient un art. *Halleluyah* (K. Vidor). *Sous les toits de Paris* (René Clair).

1930   Marlène Dietrich dans *l'Ange bleu.*

1931-1938   Nouvelles stars plus « réalistes » et familières. Irène Dunne dans *Back Street* (J.-M. Stahl), Clark Gable et Claudette Colbeit dans *New York-Miami* (F. Capra), Gary Cooper dans *l'Extravagant Mr. Deeds* (F. Capra), etc. En France, Préjean, Gabin, etc., Annabella, D. Darrieux, etc.

1938   Michèle Morgan dans *Quai des Brumes* (Carné). Clark Gable et Vivien Leigh dans *Autant en emporte le vent.*

1940   Chaplin dans *le Dictateur.*

1940-1945   Jean Marais et Madeleine Sologne dans *l'Éternel retour* (J. Delannoy). Humphrey Bogart dans *le Faucon maltais* (L. Huston).

1946   Rita Hayworth dans *Gilda* (C. Vidor). Ingrid Bergman dans *les Enchaînés* (Hitchcock); *Sciuscia* (de Sica) et *Paisa* (Rossellini), films sans stars.

1947   Gérard Philipe et Micheline Presle dans *le Diable au corps* (C. Autant Lara).

1948   Anna Magnani dans *Amore* (Rossellini). *La Terre tremble* (Visconti) et *le Voleur de bicyclette* (de Sica), films sans vedettes.

1949   Cécile Aubry et Michel Auclair dans *Manon* (H. G. Clouzot) Silvana Mangano dans *Riz amer* (de Santis). Orson Welles dans *le Troisième Homme* (Carol Reed).

1950   Les vieilles stars déchues devenues curiosités historiques : Gloria Swanson dans *Sunset Boulevard* (B. Wilder).

1951   Ava Gardner dans *Pandora* (R. Levin). Marlon Brando dans *Un tramway nommé Désir* (Kazan).

1952   Cinérama. Marilyn Monroe dans *Niagara* (Hathaway).

1953   Cinémascope. Audrey Hepburn dans *Vacances romaines*.
        (W. Wyler). Alan Ladd dans *l'Homme des Vallées perdues*
        (G. Stevens).

1954   Grace Kelly dans *To catch a Thief* (Hitchcock).

1955   James Dean dans *A L'Est d'Eden* (Kazan) et *la Fureur de
        vivre* (N. Ray). Avec *Marty*, film sans star, redémarrage
        aux U.S.A. du cinéma indépendant.

1956   Culte de James Dean.

1958   *Les Amants.*

1959   Deuil de Liz Taylor. Belmondo dans *A bout de souffle*.
        Sophia Loren exilée avec Carlo Ponti. Ava Gardner et
        Gregory Peck dans *Dernier Rivage*. Mort de Humphrey
        Bogart. *Le Beau Serge*, film sans star qui révèle J.-C. Brialy.

1960   Mort de Clark Gable. Mariage Liz Taylor-Eddie Fisher.
        Marilyn Monroe dans *les Misfits*. Brigitte Bardot dans *la
        Vérité*. Mort de Gérard Philipe. *L'Avventura. La Dolce Vita.*

1961   Mort de Gary Cooper. Début du tournage de *Cléopâtre*.
        Maladie de Liz Taylor. Désespoir de Brigitte Bardot.
        Lancement de Claudia Cardinale. *L'Année dernière à
        Marienbad. Chronique d'un été*, première manifestation
        du « cinéma-vérité » (E. Morin et J. Rouch). *West side
        Story.*

1962   Suicide de Marilyn Monroe. *James Bond 007 contre Dr.
        No. Lawrence d'Arabie.*

1963   *Le Joli Mai* (Chris Marker). *Le Guépard* (Visconti).

1965   *Pierrot le Fou* (J.-L. Godard). *Zorba le Grec* (Cacoyannis).

1966   *Persona* (Bergman). *Au hasard Balthazar* (Bresson).

1967   *Blow up* (Antonioni).

1969   *Il était une fois dans l'Ouest* avec Charles Bronson, Henry
        Fonda et Claudia Cardinale. Yves Montand dans « Z ».
        Easy Rider marque l'irruption de la contre-culture dans le
        cinéma commercial. *Satyricon* (Fellini).

1971   *Sunday, bloody sunday* (J. Schlesinger.)

1972   Lancement de Twiggy. Jane Fonda reçoit l'oscar pour
        son interprétation d'une call-girl dans *Klute*.

Orientations bibliographiques

PROBLÈMES GÉNÉRAUX DU CINÉMA

G. Aristarco, *Storie delle teoriche del film*, Milan, Einaudi, 1952.
P. Baechlin, *Histoire économique du cinéma*, Paris, la Nouvelle Édition, 1947.
B. Balazs, *Theory of film*, Londres, Dennis Dobson, 1952.
A. Bazin, *Qu'est-ce que le cinéma?* Paris, le Cerf, (4 vol.), 1958-1962.
G. Cohen-Seat, *Essai sur les principes d'une philosophie du cinéma*, Paris, P.U.F. 1946.
S. M. Eisenstein, *Film form*, Londres, Dennis Dobson, 1949; *The Film Sense*, *ibid.* 1948.
J. Epstein, *l'Esprit du cinéma*, Paris, Jeheber, 1955.
S. Krakauer, *Theory of film*, New York, Oxford University Press, 1965.
M. Lapierre, *Anthologie du cinéma*, Paris, la Nouvelle Édition, 1946.
C. Metz, *Cinéma et Langage*, Paris, Larousse, 1971.
J. Mitry, *Esthétique et Psychologie du cinéma*, Paris, Éditions universitaires, 2 vol., 1963-1965.
E. Morin, *le Cinéma, ou l'Homme imaginaire* Paris, Éditions de Minuit, 1956.
E. Souriau, *l'Univers filmique*, Paris, Flammarion, 1952.

L'ACTEUR DE CINÉMA

Cahiers du cinéma, *l'Acteur*, t. XI, n° 66, Noël 1956.
L. Chiarini, U. Barbaro, *l'Attore*, Roma, Bianco e Nero, 3 vol., 1938, 1940, 1941.
L. Delluc, « Comédiens ou Interprètes », in *Cinéma et Cie*, Paris, Grasset, 1919.
D. Diderot, *Paradoxe sur le comédien*.
C. Dullin, « l'Émotion humaine », in *Art cinématographique*, vol. 1. Paris, Alcan, 1926.

M. Leiris, *la Possession et ses aspects théâtraux chez les Ethiopiens de Gondar*, Paris, Plon, 1958.

V. Poudovkine, « le Travail de l'acteur de cinéma et le Système de Stanislavsky », in *Recherches soviétiques*, n° 3, *Cinéma*, Paris, 1956.

V. Poudovkine, *Film technic, Film acting*, New York, Lear, 1949.

STARS

F. Alberoni, *l'Élite senza potere, ricerce sociologica sul divismo*, Milano, Vita e Pensier, 1963.

G. Annenkov, *En habillant les vedettes*, Paris, R. Marin, 1951.

R. M. Arlaud, *Cinéma bouffe*, Paris, Melot, 1945.

A. Bazin, « le Jour se lève », in *Documents*, 47, n° 1.

M. Bessy, R. Livio, *Charles Chaplin*, Paris, Denoël, 1972.

H. Blumer, *Movies and Conduct*, New York, Marc Millan, 1935.

C. Castello, *Il Divismo*, Torino, Edizione radio italiana, 1957.

I. Ehrenbourg, *Usine de rêves*, Paris, N.R.F., 1938.

C. Ford et R. Jeanne, *les Vedettes de l'écran*, Paris, P.U.F., 1964.

G. Gow, *Hollywood in the fifties*, Londres, A. Zwemmer, 1968.

A. Kyrou, *Marilyn Monroe*, Paris, Denoël, 1972.

N. Leites et M. Wolfenstein, *Movies*, Glencoe, 1950.

P. Leprohon, *Charlie Chaplin*, Paris, Melot, 1946.

R. Livio, *Greta Garbo*, Paris, Denoël, 1972.

J. P. Mayer, *Sociology of Film*, Londres, Faber, 1948. *British Cinemas and their audiences*, Dennis Dobson, 1948.

A. Malraux, *Esquisse d'une psychologie du cinéma*, Paris, N.R.F., 1946.

V. Morin, « les Olympiens », in *Communications 2*, Paris, Éditions du Seuil, 1962.

F. Nourrissier, *Brigitte Bardot*, Grasset, 1967.

H. Powdermaker : *Hollywood, the Dream Factory*, Boston, Little Brown, 1950.

E. Rice, *Voyage à Purilia*, Paris, N.R.F., 1934.

L. Rosten, *Hollywood, the Movie Colony, the Movie Makers*, New York, Harcourt Brace and Cie, 1941.

M. Thorp, *America at the Movies*, Londres, Faber and Faber, 1945.

A. Zukor, *le Public n'a jamais tort*, Paris Corréa, 1954.

Table

1
Le temps des stars

2

Les stars du temps

Annexes

IMPRESSION : NORMANDIE ROTO IMPRESSION S.A.S. À LONRAI
DÉPÔT LÉGAL : MAI 2015 - N° 124314 (1500981)
IMPRIMÉ EN FRANCE

Du même auteur

LA MÉTHODE

La Nature de la nature (t. 1), *Seuil, 1977, et « Points Essais »
n° 123, 1981*
La Vie de la vie (t. 2), *Seuil, 1980, et « Points Essais » n° 175, 1985*
La Connaissance de la connaissance (t. 3), *Seuil, 1986, et « Points
Essais » n° 236, 1992*
Les Idées (t. 4). Leur habitat, leur vie, leurs mœurs, leur orga-
nisation, *Seuil, 1991, et « Points Essais » n° 303, 1995*
L'Humanité de l'humanité (t. 5). L'identité humaine, *Seuil, 2001,
et « Points Essais » n° 508, 2003*
Éthique (t. 6), *Seuil, 2004, et « Points Essais » n° 555, 2006*
La Méthode, *Seuil, « Opus », 2 vol., 2008*

COMPLEXUS

Science avec conscience, *Fayard, 1982, Seuil, « Points Sciences »
n° 64, 1990*
Sociologie, *Fayard, 1984, Seuil, « Points Essais » n° 276, 1994*
Arguments pour une Méthode. Colloque de Cerisy (Autour
d'Edgar Morin), *Seuil, 1990*
Introduction à la pensée complexe, *ESF, 1990, Seuil, « Points
Essais » n° 534, 2005*
La Complexité humaine, *Flammarion, « Champs-l'Essentiel »
n° 189, 1994*
L'Intelligence de la complexité, *(en collab. avec Jean-Louis
Le Moigne), L'Harmattan, 2000*
Intelligence de la complexité. Épistémologie et pratique, *(codi-
rection avec Jean-Louis Le Moigne), (Actes du colloque de
Cerisy, juin 2005), Éditions de l'Aube, 2006*
Destin de l'animal, *Éd. de l'Herne, 2007*

ÉDUCATION

La Tête bien faite, *Seuil, 1999*
Relier les connaissances. Le défi du XXIᵉ siècle. Journées thé-
matiques, conçues et animées par Edgar Morin, *Seuil, 1999*

Les Sept Savoirs nécessaires à l'éducation du futur, *Seuil, 2000, et « Points Essais »*, *n° 761, 2015*
Enseigner à vivre. Manifeste pour changer l'éducation, *Acte Sud/Playbac, 2014*

ANTHROPOLOGIE FONDAMENTALE

L'Homme et la Mort, *Corréa, 1951, Seuil, nouvelle édition, 1970, et « Points Essais » n° 77, 1976*
Le Cinéma ou l'Homme imaginaire, *Minuit, 1956*
Le Paradigme perdu : la nature humaine, *Seuil, 1973, et « Points Essais » n° 109, 1979*
L'Unité de l'homme, *(en collab. avec Massimo Piattelli-Palmarini), Seuil, 1974, et « Points Essais », 3 vol., nos 91-92-93, 1978*
Dialogue sur la nature humaine, *(en collab. avec Boris Cyrulnik), Éditions de l'Aube, 2010, et « L'Aube poche essai », 2012*
Dialogue sur la connaissance. Entretiens avec des lycéens, *Éditions de l'Aube, « L'Aube poche », 2011*

NOTRE TEMPS

L'An zéro de l'Allemagne, *La Cité universelle, 1946*
L'Esprit du temps, *Grasset, 1962 (t. 1), 1976 (t. 2), Armand Colin, nouvelle édition 2008*
Commune en France, La métamorphose de Plozévet, *Fayard, 1967, LGF, « Biblio-Essais », 1984*
Mai 68 : la brèche, *(en collab. avec Claude Lefort et Cornelius Castoriadis), Fayard, 1968, réédition, 2008, Complexe, nouvelle édition suivie de* Vingt ans après, *1988*
La Rumeur d'Orléans, *Seuil, 1969, édition complétée avec* La Rumeur d'Amiens, *et « Points Essais » n° 143, 1982*
De la nature de l'URSS, *Fayard, 1983*
Pour sortir du XXᵉ siècle, *Seuil, « Points Essais » n° 170, 1984, édition augmentée d'une préface sous le titre* Pour entrer dans le XXIᵉ siècle, *Seuil, « Points Essais » n° 518, 2004*
Penser l'Europe, *Gallimard, 1987, et « Folio », 1990*
Un nouveau commencement, *(en collab. avec Gianluca Bocchi et Mauro Ceruti), Seuil, 1991*
Terre-Patrie, *(en collab. avec Anne Brigitte Kern), Seuil, 1993, et « Points Essais » n° 643, 2010*

Les Fratricides. Yougoslavie-Bosnie 1991-1995, *Arléa, 1996*

L'Affaire Bellounis, *(préface au témoignage de Chems Ed Din),*
     Éditions de l'Aube, 1998

Le Monde moderne et la Question juive, *Seuil, 2006, repris sous*
     le titre Le Monde moderne et la Condition juive, *« Points*
     Essais » n° 695, 2012

L'An I de l'ère écologique, *Tallandier, 2007*

Où va le monde ?, *Éd. de L'Herne, 2007*

Vers l'abîme ?, *Éd. de L'Herne, 2007*

Pour et contre Marx, *Temps présent, 2010, Flammarion, « Champ*
     Actuel », 2012

Comment vivre en temps de crise ?, *(en collab. avec Patrick*
     Viveret), Bayard, 2010

La France une et multiculturelle. Lettres aux citoyens de France,
     (en collab. avec Patrick Singaïni), Fayard, 2012

Notre Europe. Décomposition ou métamorphose ?, *(en collab.*
     avec Mauro Ceruti), Fayard, 2014

Au rythme du monde. Un demi-siècle d'articles dans *Le Monde,*
     Presses du Châtelet, 2014

POLITIQUE

Introduction à une politique de l'homme, *Seuil, 1965, et « Points*
     Politique » n° 29, 1969, nouvelle édition, et « Points Essais »
     n° 381, 1999

Le Rose et le Noir, *Galilée, 1984*

Politique de civilisation, *(en collab. avec Sami Naïr), Arléa, 1997*

Pour une politique de civilisation, *Arléa, 2002*

Ma gauche. Si j'étais président…, *Bourin éditeur, 2010*

La Voie. Pour l'avenir de l'humanité, *Fayard, 2011, Pluriel, 2012*

Le Chemin de l'espérance, *(en collab. avec Stéphane Hessel),*
     Fayard, 2011

VÉCU

Autocritique, *Seuil, 1959, 2012, et réédition avec nouvelle*
     préface, « Points Essais » n° 283, 1994

Le Vif du sujet, *Seuil, 1969, et « Points Essais » n° 137, 1982*

Journal de Californie, *Seuil, 1970, et « Points Essais » n° 151,*
     1983

Journal d'un livre, *Inter-Éditions, 1981*

Vidal et les siens, *(en collab. avec Véronique Grappe-Nahoum.*
    et Haïm Vidal Sephiha), Seuil, 1989, et « Points » n° P300, 1996

Une année Sisyphe, *Seuil, 1995*

Pleurer, aimer, rire, comprendre. 1er janvier 1995 – 31 janvier
    1996, *Arléa, 1996*

Amour, poésie, sagesse, *Seuil, 1997, et « Points » n° P587, 1999*

Mes démons, *Stock, 2008, Seuil, « Points Essais » n° 632, 2009*

Edwige, l'inséparable, *Fayard, 2009*

Mes philosophes, *Meaux, Germina, 2011, Pluriel, 2013*

Journal. 1962-1987 (Vol. 1), 1992-2010 (Vol. 2), *Seuil, 2012*

Mon Paris, ma mémoire, *Fayard, 2013, Pluriel, 2014*

Mes Berlin. 1945-2013, *Le Cherche Midi, 2013*

TRANSCRIPTIONS DE L'ORAL

Planète : l'aventure inconnue, *(en collab. avec Christophe Wulf),*
    Mille et une nuits, 1997

À propos des sept savoirs, *Pleins Feux, 2000*

Reliances, *Éditions de l'Aube, 2000*

Itinérance, *Arléa, 2000, et « Arléa poche », 2006*

Nul ne connaît le jour qui naîtra, *(en collab. avec Edmond*
    Blattchen), Alice, 2000

Culture et barbarie européennes, *Bayard, 2005*

Mon chemin. Entretiens avec Djénane Kareh Tager, *Fayard,*
    2008, Seuil, « Points Essais » n° 671, 2011

Au péril des idées. Les grandes questions de notre temps. Dia-
    logue, *(en collab. avec Tariq Ramadan), Presses du Châtelet,*
    2014